de l'os
au squelette

ECOLE LE SENTIER
4076, Boul. de l'Université
Rock-Forest, Qué, J1N 2Y1
Tél: 822-6894

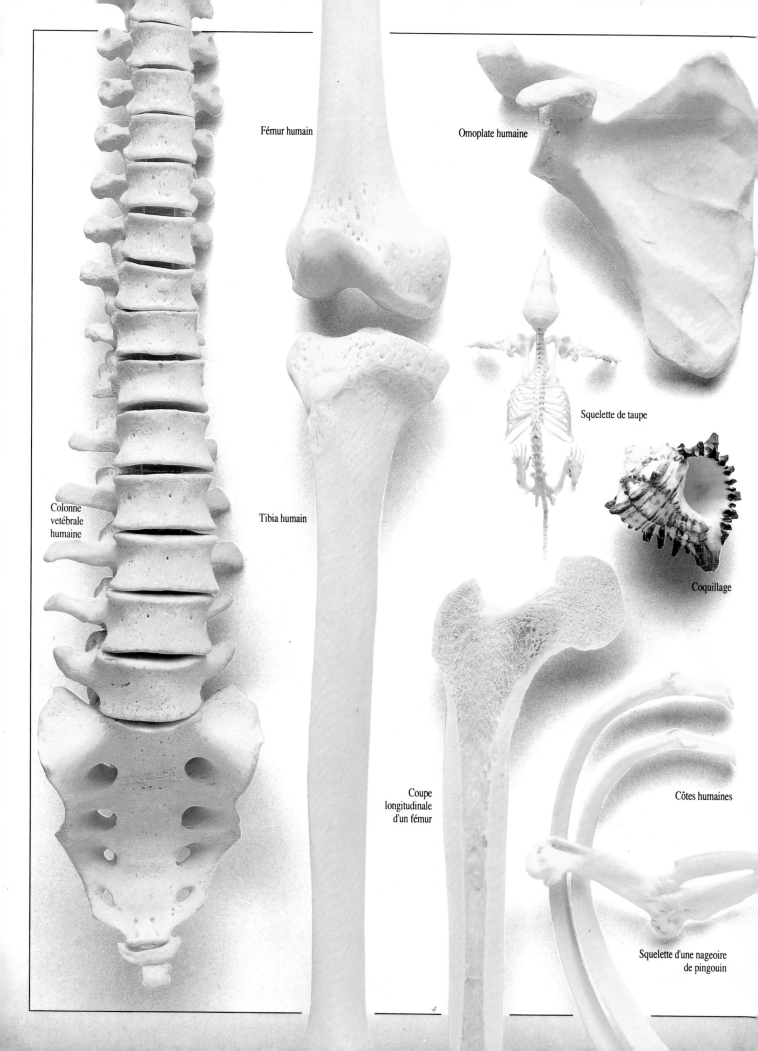

Fémur humain

Omoplate humaine

Colonne
vetébrale
humaine

Squelette de taupe

Tibia humain

Coquillage

Coupe
longitudinale
d'un fémur

Côtes humaines

Squelette d'une nageoire
de pingouin

Molaires
humaines

de l'os
au squelette

par
Steve Parker,
en association avec le British Museum (Natural History), Londres

Comité éditorial
Londres :
Martyn Foote, Sophie Mitchell, Jane Owen
Photographies de Philip Dowell
Paris :
Christine Baker, Anne de Bouchony,
Sabine Boulongne, Catherine de Sairigné-Bon
Conseiller : Anick Abourachid, Muséum National d'Histoire Naturelle

Publié sous la direction de
Peter Kindersley,
Jean-Olivier Héron
et
Pierre Marchand

Coquillage
de l'Indo-
Pacifique

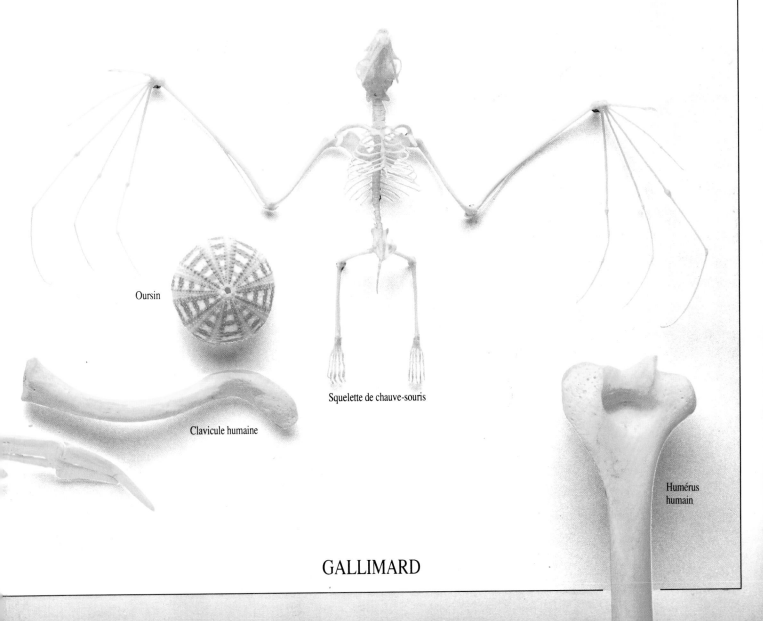

Oursin

Clavicule humaine

Squelette de chauve-souris

Humérus
humain

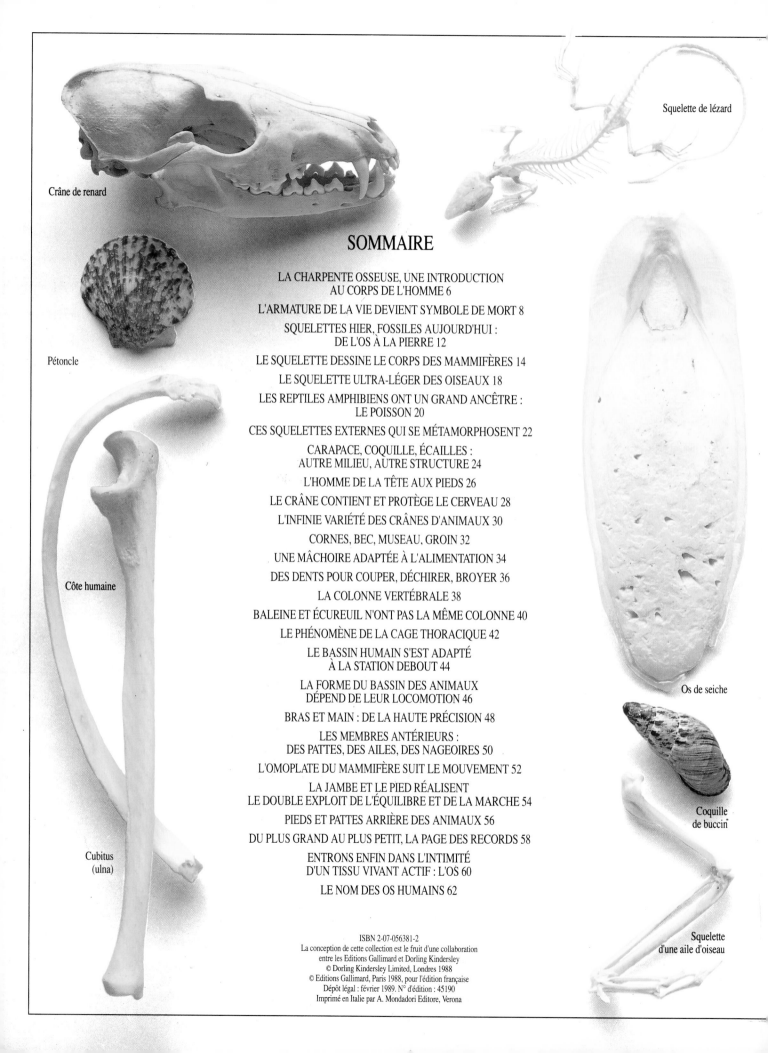

Squelette de lézard

Crâne de renard

Pétoncle

Côte humaine

Cubitus
(ulna)

SOMMAIRE

Os de seiche

Coquille
de buccin

Squelette
d'une aile d'oiseau

ISBN 2-07-056381-2
La conception de cette collection est le fruit d'une collaboration
entre les Editions Gallimard et Dorling Kindersley
© Dorling Kindersley Limited, Londres 1988
© Editions Gallimard, Paris 1988, pour l'édition française
Dépôt légal : février 1989. N° d'édition : 45190
Imprimé en Italie par A. Mondadori Editore, Verona

Crâne de corneille

Crâne de perroquet

Apprendre au plus grand nombre
un savoir menacé de se perdre
en le fixant par l'image :
ce fut, il y a deux siècles, le pari des Encyclopédistes.
Aujourd'hui la photographie permet d'aller plus loin
dans l'indispensable transfert des connaissances.
Mais il faut que l'objectif soit vraiment objectif
et que la qualité de la reproduction soit à la hauteur de cette ambition.
C'est le défi que relève Gallimard avec
«Les yeux de la découverte».
Une collection où l'image triomphe
sans trahir le texte des savants.
Nous voulons inventer un nouveau langage
qui prenne le contre-pied des informations audiovisuelles,
trop souvent superficielles et parcellaires,
et qui, par sa cohérence,
amène à la vraie découverte et à la compréhension.
Les pages de ce livre révèlent au lecteur
tous les squelettes, étonnantes charpentes articulées,
des grands groupes d'animaux vertébrés et invertébrés de la planète :
enchevêtrements délicats, structures puissantes,
os, coquilles, écailles et armatures. Un spectacle saisissant,
commenté par les meilleurs spécialistes du
Muséum d'Histoire Naturelle de Paris et du
British Museum (Natural History) de Londres.
Une documentation unique pour comprendre
un grand nombre de comportements des animaux
qui nous sont plus ou moins familiers :
le maintien, la démarche, le vol ou la nage.
Mais aussi la manière de se nourrir
et l'art de se défendre.

L'éditeur

LA CHARPENTE OSSEUSE, UNE INTRODUCTION AU CORPS DE L'HOMME

Le squelette est à la fois un symbole de mort, la charpente d'un navire ou d'un édifice, les grandes lignes d'une œuvre. C'est aussi l'ensemble des quelque 200 os qui structurent le corps humain. Solide mais flexible, notre squelette soutient, protège, se meut. Rigides, les os composent une armature interne qui supporte le reste du corps et l'empêche de s'affaisser. Unis par des articulations mobiles, ils sont mis en mouvement par les muscles, et forment un système de supports, de leviers, de pinces, qui nous permet de véhiculer notre corps, de courir, de cueillir, de soulever... Les os sont aussi le siège de la fabrication de certains globules, blancs et rouges. Enfin, le squelette protège nos organes vitaux les plus fragiles...

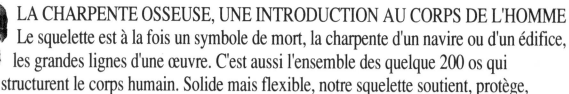

La boîte crânienne (voir p. 26) est formée de 8 os abritant le cerveau ; la face réunit les organes sensoriels. Un seul des 14 os faciaux est mobile, le maxillaire inférieur.

Un chirurgien du XVe siècle décrit la cage thoracique à un étudiant sur une reconstitution de squelette en réduction.

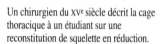

Le craniophore est un appareil destiné à mesurer la taille du crâne et, par déduction, celle du cerveau.

Squelettes humains et animaux emplissent cet amphithéâtre médiéval, où se déroulaient les leçons d'anatomie.

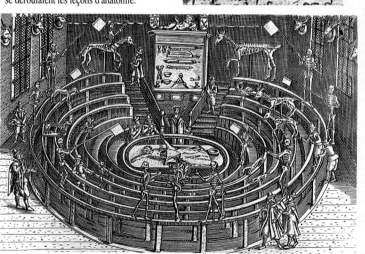

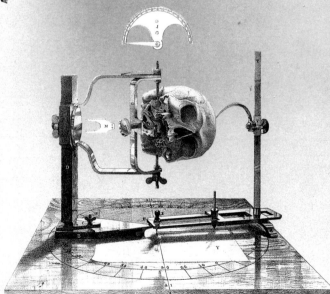

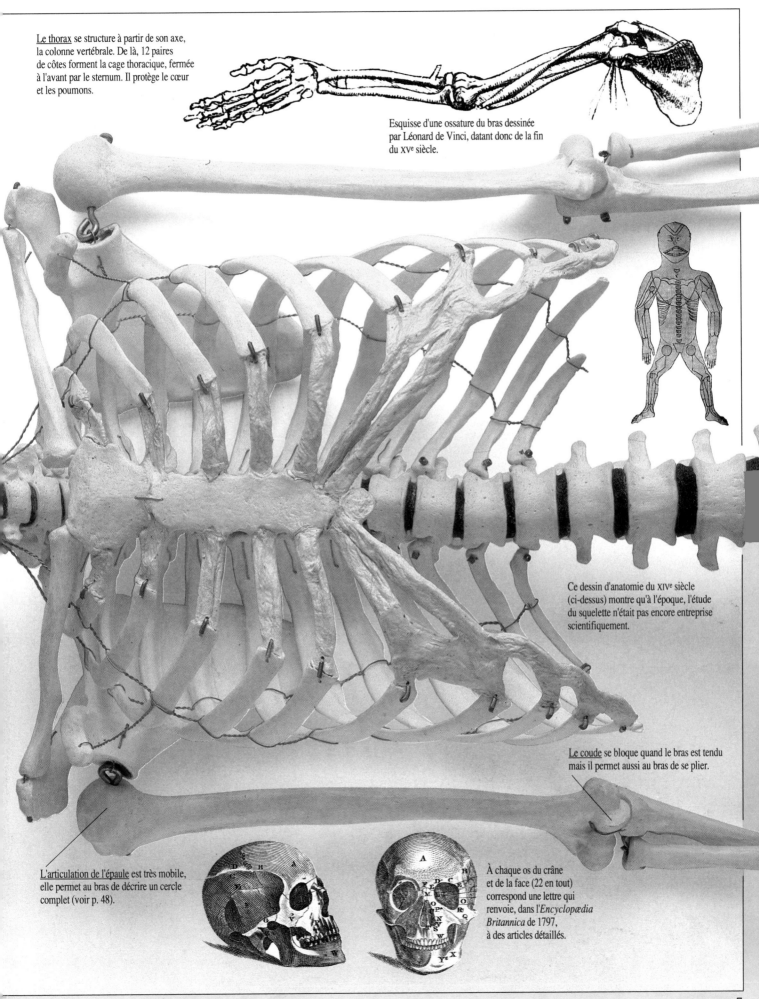

Le thorax se structure à partir de son axe, la colonne vertébrale. De là, 12 paires de côtes forment la cage thoracique, fermée à l'avant par le sternum. Il protège le cœur et les poumons.

Esquisse d'une ossature du bras dessinée par Léonard de Vinci, datant donc de la fin du XVe siècle.

Ce dessin d'anatomie du XIVe siècle (ci-dessus) montre qu'à l'époque, l'étude du squelette n'était pas encore entreprise scientifiquement.

Le coude se bloque quand le bras est tendu mais il permet aussi au bras de se plier.

L'articulation de l'épaule est très mobile, elle permet au bras de décrire un cercle complet (voir p. 48).

À chaque os du crâne et de la face (22 en tout) correspond une lettre qui renvoie, dans l'Encyclopædia Britannica de 1797, à des articles détaillés.

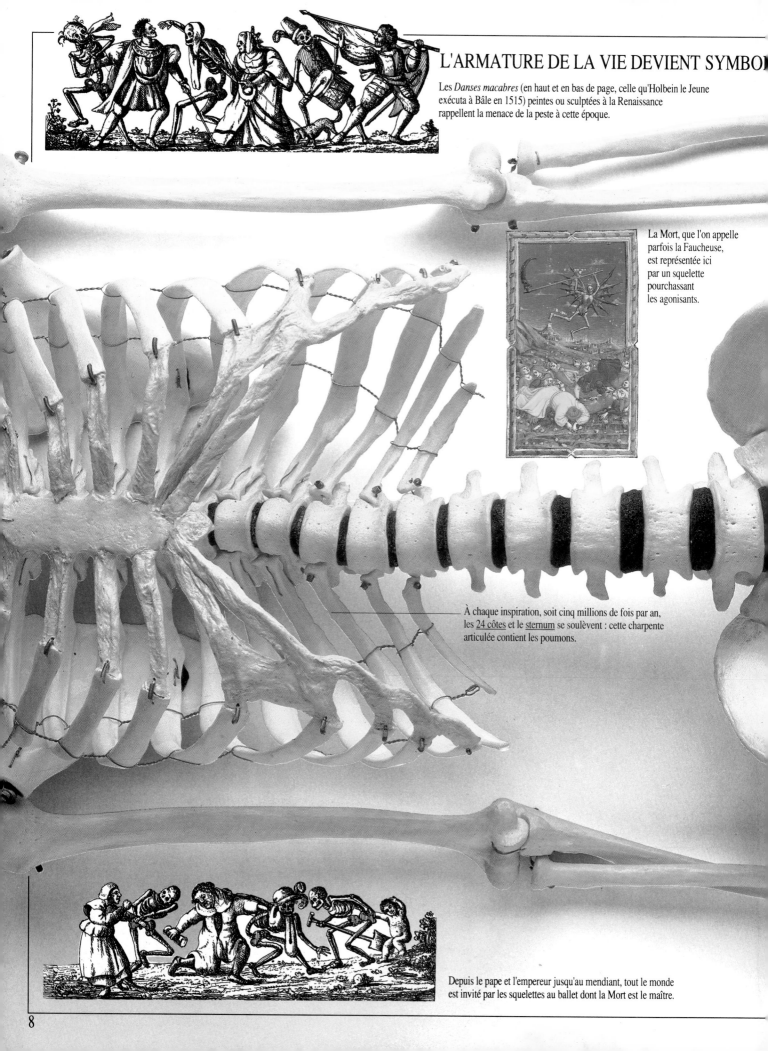

L'ARMATURE DE LA VIE DEVIENT SYMBOL

Les *Danses macabres* (en haut et en bas de page, celle qu'Holbein le Jeune exécuta à Bâle en 1515) peintes ou sculptées à la Renaissance rappellent la menace de la peste à cette époque.

La Mort, que l'on appelle parfois la Faucheuse, est représentée ici par un squelette pourchassant les agonisants.

À chaque inspiration, soit cinq millions de fois par an, les 24 côtes et le sternum se soulèvent : cette charpente articulée contient les poumons.

Depuis le pape et l'empereur jusqu'au mendiant, tout le monde est invité par les squelettes au ballet dont la Mort est le maître.

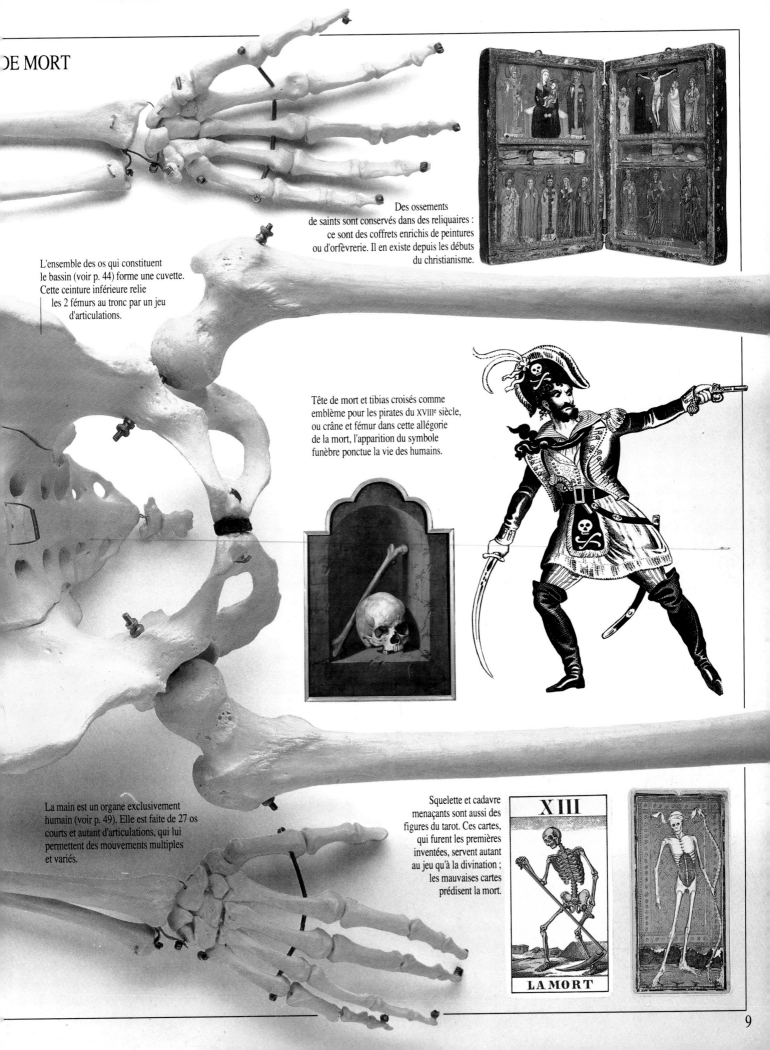

Des ossements de saints sont conservés dans des reliquaires : ce sont des coffrets enrichis de peintures ou d'orfèvrerie. Il en existe depuis les débuts du christianisme.

L'ensemble des os qui constituent le bassin (voir p. 44) forme une cuvette. Cette ceinture inférieure relie les 2 fémurs au tronc par un jeu d'articulations.

Tête de mort et tibias croisés comme emblème pour les pirates du XVIIIᵉ siècle, ou crâne et fémur dans cette allégorie de la mort, l'apparition du symbole funèbre ponctue la vie des humains.

La main est un organe exclusivement humain (voir p. 49). Elle est faite de 27 os courts et autant d'articulations, qui lui permettent des mouvements multiples et variés.

Squelette et cadavre menaçants sont aussi des figures du tarot. Ces cartes, qui furent les premières inventées, servent autant au jeu qu'à la divination ; les mauvaises cartes prédisent la mort.

XIII

LA MORT

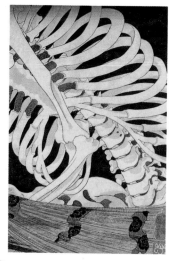

Le peintre japonais Kuniyoshi a représenté la mort sous la forme d'un squelette géant qui occupe la moitié de la surface du tableau et dont la présence écrase les personnages, terrorisés.

Les os de la jambe (voir p. 54) sont les plus longs du corps. Leur articulation permet aux genoux et aux chevilles de se toucher, alors qu'un écart de plus de 30 cm sépare les têtes supérieures des 2 fémurs.

Ce crâne en argent (à gauche) est le boîtier d'une montre fabriquée en Allemagne vers 1620.

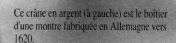

Le crâne en anamorphose, au premier plan des *Ambassadeurs* (à droite) de Holbein, doit être regardé de côté, par l'extrême gauche du tableau, pour retrouver sa véritable forme (à gauche). Vu de face sur la toile, ce n'est qu'une forme ovale déconcertante (au centre). Dans cette œuvre, la mort est à la fois très présente et cachée.

Le genou (voir p. 54) est la plus forte des articulations. Il est très solide (près de la moitié du poids du corps repose sur lui) mais assez peu mobile : il ne permet pas les mouvements de côté.

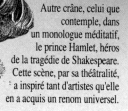

Autre crâne, celui que contemple, dans un monologue méditatif, le prince Hamlet, héros de la tragédie de Shakespeare. Cette scène, par sa théâtralité, a inspiré tant d'artistes qu'elle en a acquis un renom universel.

Au Tibet, des crânes humains transformés en coupes sont utilisés dans certains rituels de lamas. Boire dans ces coupes, c'est s'imprégner de l'esprit de l'autre.

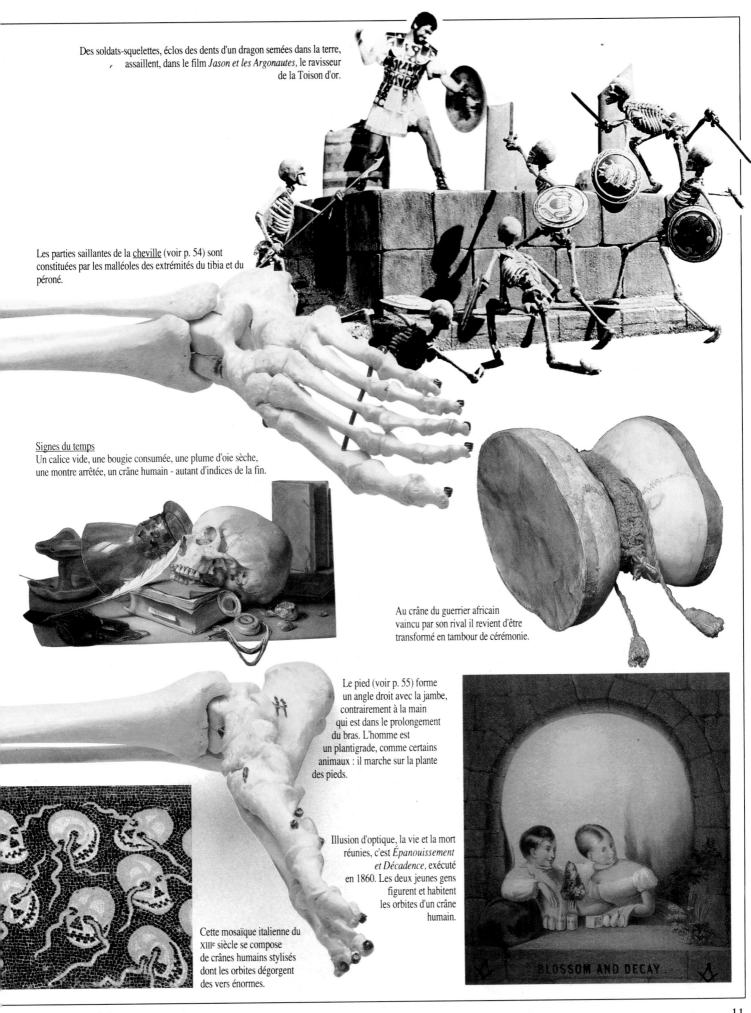

Des soldats-squelettes, éclos des dents d'un dragon semées dans la terre, assaillent, dans le film *Jason et les Argonautes*, le ravisseur de la Toison d'or.

Les parties saillantes de la cheville (voir p. 54) sont constituées par les malléoles des extrémités du tibia et du péroné.

Signes du temps
Un calice vide, une bougie consumée, une plume d'oie sèche, une montre arrêtée, un crâne humain - autant d'indices de la fin.

Au crâne du guerrier africain vaincu par son rival il revient d'être transformé en tambour de cérémonie.

Le pied (voir p. 55) forme un angle droit avec la jambe, contrairement à la main qui est dans le prolongement du bras. L'homme est un plantigrade, comme certains animaux : il marche sur la plante des pieds.

Illusion d'optique, la vie et la mort réunies, c'est *Épanouissement et Décadence*, exécuté en 1860. Les deux jeunes gens figurent et habitent les orbites d'un crâne humain.

Cette mosaïque italienne du XIIIᵉ siècle se compose de crânes humains stylisés dont les orbites dégorgent des vers énormes.

BLOSSOM AND DECAY

SQUELETTES HIER, FOSSILES AUJOURD'HUI : DE L'OS À LA PIERRE

Étant donné leur fonction, la plupart des squelettes sont très durs et très résistants. Ils se conservent donc facilement notamment en se fossilisant. Généralement, les vestiges végétaux et animaux sont dévorés ou pourrissent. Parfois, cependant, les coquilles, dents, os vont se déposer au fond de la mer, d'un fleuve ou d'un marécage. Ils sont rapidement recouverts de sable ou de boue qui, au fil de millions d'années, se transforme en roche. Mais les minéraux constituant les squelettes sont préservés dans la pierre : ils se fossilisent. L'essentiel de ce que nous savons de l'histoire des espèces vivantes nous vient de ces fossiles, vieux de plus de 3 000 millions d'années.

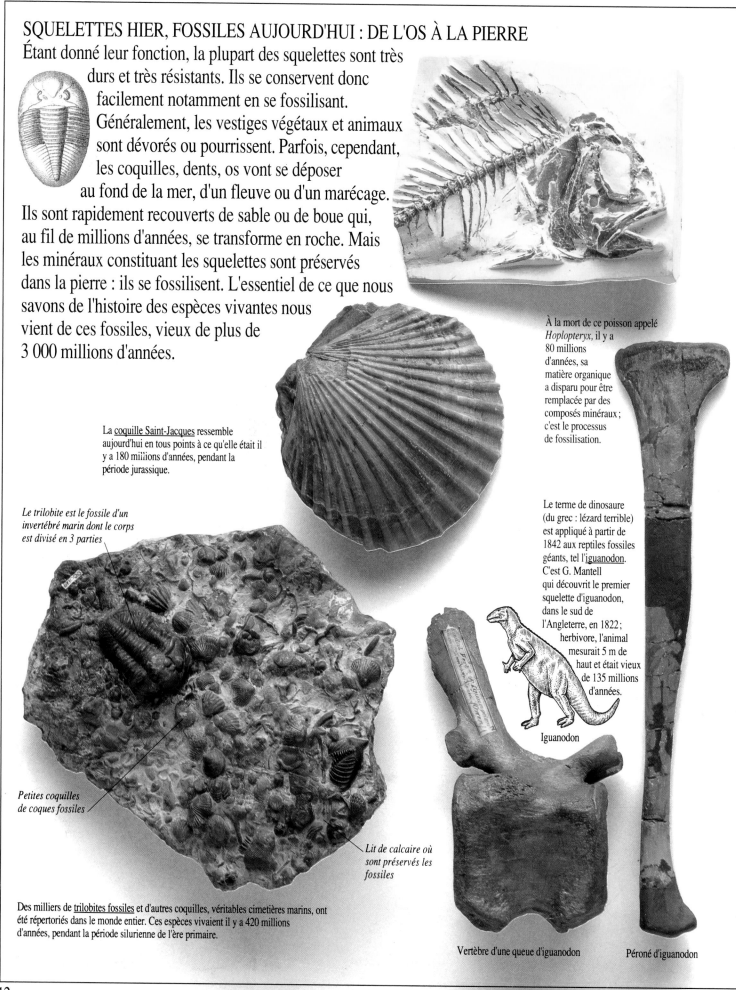

À la mort de ce poisson appelé *Hoplopteryx*, il y a 80 millions d'années, sa matière organique a disparu pour être remplacée par des composés minéraux ; c'est le processus de fossilisation.

La coquille Saint-Jacques ressemble aujourd'hui en tous points à ce qu'elle était il y a 180 millions d'années, pendant la période jurassique.

Le trilobite est le fossile d'un invertébré marin dont le corps est divisé en 3 parties

Le terme de dinosaure (du grec : lézard terrible) est appliqué à partir de 1842 aux reptiles fossiles géants, tel l'iguanodon. C'est G. Mantell qui découvrit le premier squelette d'iguanodon, dans le sud de l'Angleterre, en 1822 ; herbivore, l'animal mesurait 5 m de haut et était vieux de 135 millions d'années.

Iguanodon

Petites coquilles de coques fossiles

Lit de calcaire où sont préservés les fossiles

Des milliers de trilobites fossiles et d'autres coquilles, véritables cimetières marins, ont été répertoriés dans le monde entier. Ces espèces vivaient il y a 420 millions d'années, pendant la période silurienne de l'ère primaire.

Vertèbre d'une queue d'iguanodon

Péroné d'iguanodon

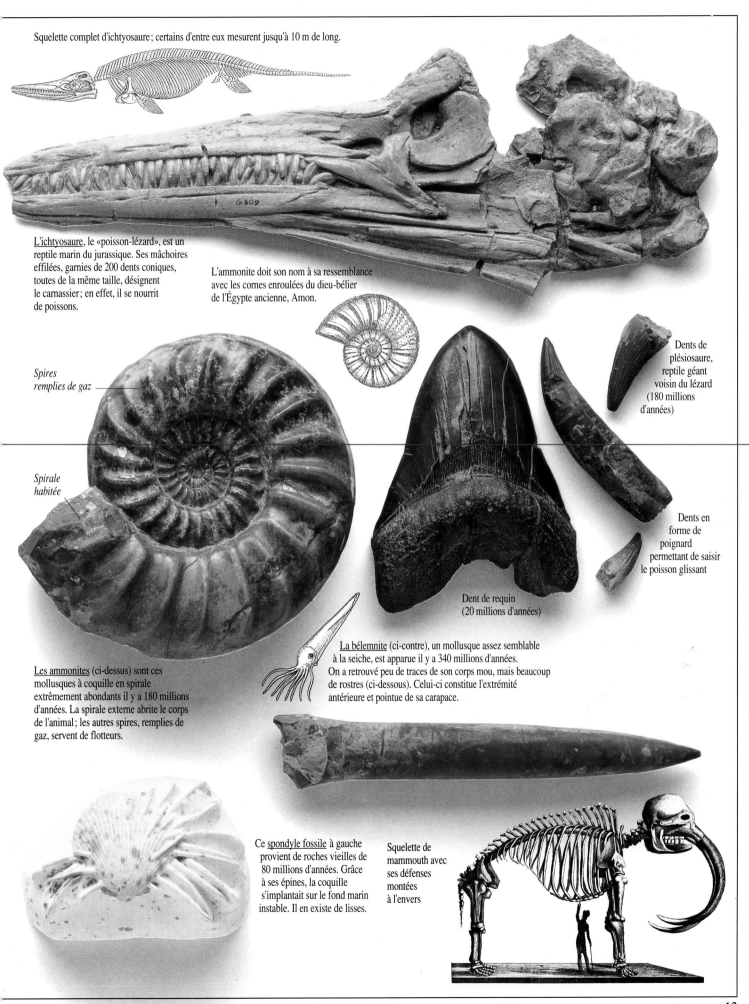

Squelette complet d'ichtyosaure; certains d'entre eux mesurent jusqu'à 10 m de long.

L'ichtyosaure, le «poisson-lézard», est un reptile marin du jurassique. Ses mâchoires effilées, garnies de 200 dents coniques, toutes de la même taille, désignent le carnassier; en effet, il se nourrit de poissons.

L'ammonite doit son nom à sa ressemblance avec les cornes enroulées du dieu-bélier de l'Égypte ancienne, Amon.

Spires remplies de gaz

Spirale habitée

Dents de plésiosaure, reptile géant voisin du lézard (180 millions d'années)

Dents en forme de poignard permettant de saisir le poisson glissant

Dent de requin (20 millions d'années)

Les ammonites (ci-dessus) sont ces mollusques à coquille en spirale extrêmement abondants il y a 180 millions d'années. La spirale externe abrite le corps de l'animal; les autres spires, remplis de gaz, servent de flotteurs.

La bélemnite (ci-contre), un mollusque assez semblable à la seiche, est apparue il y a 340 millions d'années. On a retrouvé peu de traces de son corps mou, mais beaucoup de rostres (ci-dessous). Celui-ci constitue l'extrémité antérieure et pointue de sa carapace.

Ce spondyle fossile à gauche provient de roches vieilles de 80 millions d'années. Grâce à ses épines, la coquille s'implantait sur le fond marin instable. Il en existe de lisses.

Squelette de mammouth avec ses défenses montées à l'envers

LE SQUELETTE DESSINE LE CORPS DES MAMMIFÈRES

Les mammifères tels que chiens, chats, singes, et même l'homme, ont à peu près le même squelette :
le corps est soutenu par un axe, la colonne vertébrale ; le crâne,
à l'extrémité supérieure, est le siège du cerveau et de la plupart des
organes sensibles. Le tronc est la partie la plus volumineuse
sur laquelle s'attachent les quatre membres. Le mode de vie des
mammifères conditionne de façon très nette la taille, la constitution
et le squelette de chaque espèce, même
si l'ossature est fondamentalement
la même.

George Stubbs, peintre animalier du
XVIIIe siècle, passa deux ans à étudier
l'anatomie du cheval, dont il dessina le
squelette sous divers angles.

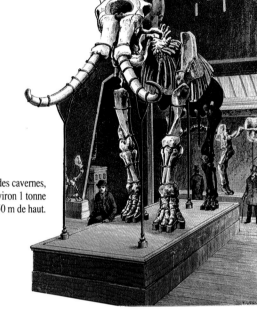

Contemporain de l'homme des cavernes,
le mammouth pesait environ 1 tonne
et mesurait 3,50 m de haut.

Colonne vertébrale

Bassin

*Vertèbre
de la queue*

Cage thoracique

Squelette de blaireau

*L'articulation de ses membres postérieurs
forme un angle qui accentue la lourdeur
de son aspect.*

Animal trapu, le blaireau est puissamment
bâti. Ses membres épais, ses fortes pattes et
ses longues griffes lui permettent de creuser
des galeries et de gratter la terre pour y dénicher
de petites proies. Il est pourvu de dents de carnivore
(voir p. 36), bien qu'il se nourrisse aussi de baies et
d'autres végétaux.

Griffes

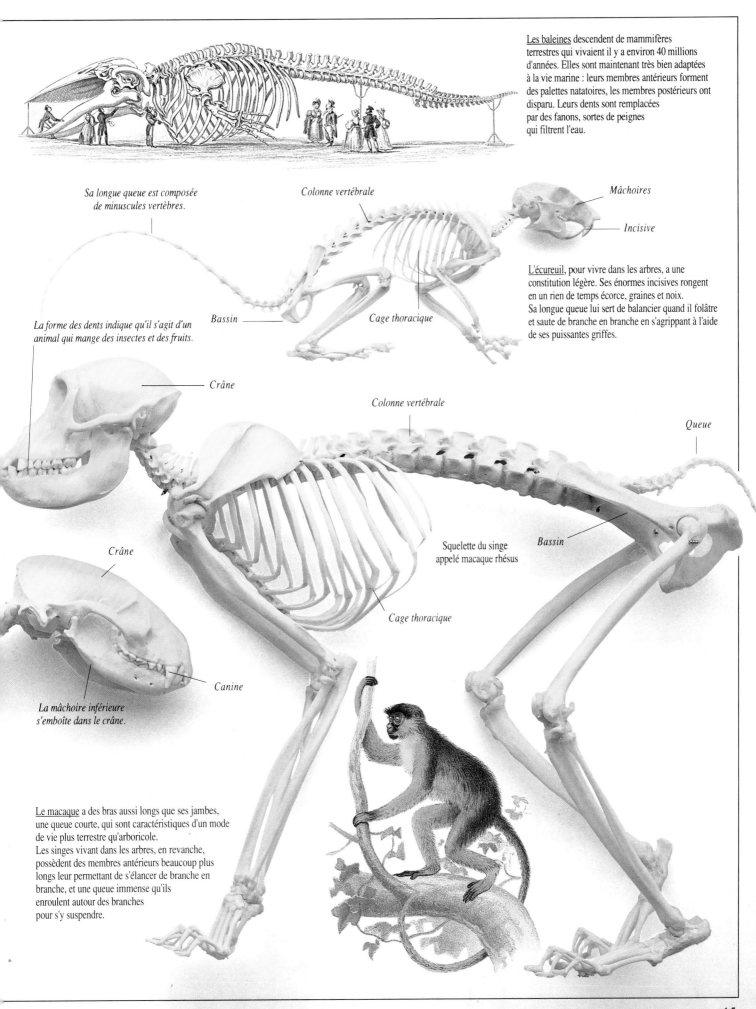

Les baleines descendent de mammifères terrestres qui vivaient il y a environ 40 millions d'années. Elles sont maintenant très bien adaptées à la vie marine : leurs membres antérieurs forment des palettes natatoires, les membres postérieurs ont disparu. Leurs dents sont remplacées par des fanons, sortes de peignes qui filtrent l'eau.

Sa longue queue est composée de minuscules vertèbres.

Colonne vertébrale

Mâchoires

Incisive

L'écureuil, pour vivre dans les arbres, a une constitution légère. Ses énormes incisives rongent en un rien de temps écorce, graines et noix. Sa longue queue lui sert de balancier quand il folâtre et saute de branche en branche en s'agrippant à l'aide de ses puissantes griffes.

Bassin

Cage thoracique

La forme des dents indique qu'il s'agit d'un animal qui mange des insectes et des fruits.

Crâne

Colonne vertébrale

Queue

Crâne

Bassin

Squelette du singe appelé macaque rhésus

Canine

Cage thoracique

La mâchoire inférieure s'emboîte dans le crâne.

Le macaque a des bras aussi longs que ses jambes, une queue courte, qui sont caractéristiques d'un mode de vie plus terrestre qu'arboricole. Les singes vivant dans les arbres, en revanche, possèdent des membres antérieurs beaucoup plus longs leur permettant de s'élancer de branche en branche, et une queue immense qu'ils enroulent autour des branches pour s'y suspendre.

15

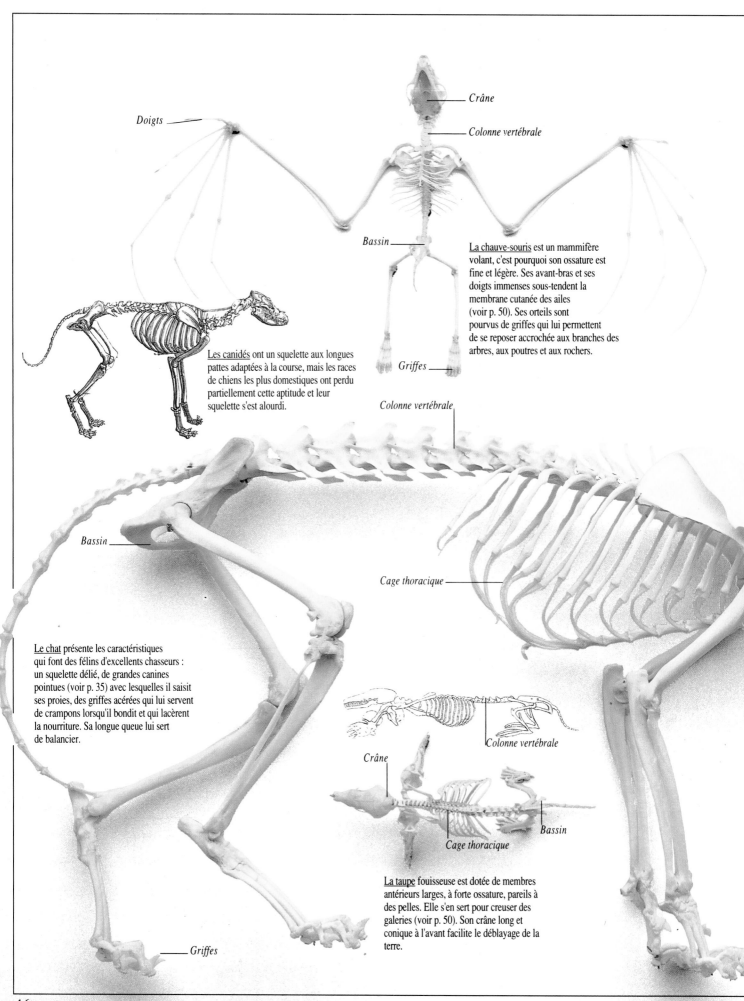

Crâne

Doigts

Colonne vertébrale

Bassin

La chauve-souris est un mammifère volant, c'est pourquoi son ossature est fine et légère. Ses avant-bras et ses doigts immenses sous-tendent la membrane cutanée des ailes (voir p. 50). Ses orteils sont pourvus de griffes qui lui permettent de se reposer accrochée aux branches des arbres, aux poutres et aux rochers.

Griffes

Les canidés ont un squelette aux longues pattes adaptées à la course, mais les races de chiens les plus domestiques ont perdu partiellement cette aptitude et leur squelette s'est alourdi.

Colonne vertébrale

Bassin

Cage thoracique

Le chat présente les caractéristiques qui font des félins d'excellents chasseurs : un squelette délié, de grandes canines pointues (voir p. 35) avec lesquelles il saisit ses proies, des griffes acérées qui lui servent de crampons lorsqu'il bondit et qui lacèrent la nourriture. Sa longue queue lui sert de balancier.

Colonne vertébrale

Crâne

Bassin

Cage thoracique

La taupe fouisseuse est dotée de membres antérieurs larges, à forte ossature, pareils à des pelles. Elle s'en sert pour creuser des galeries (voir p. 50). Son crâne long et conique à l'avant facilite le déblayage de la terre.

Griffes

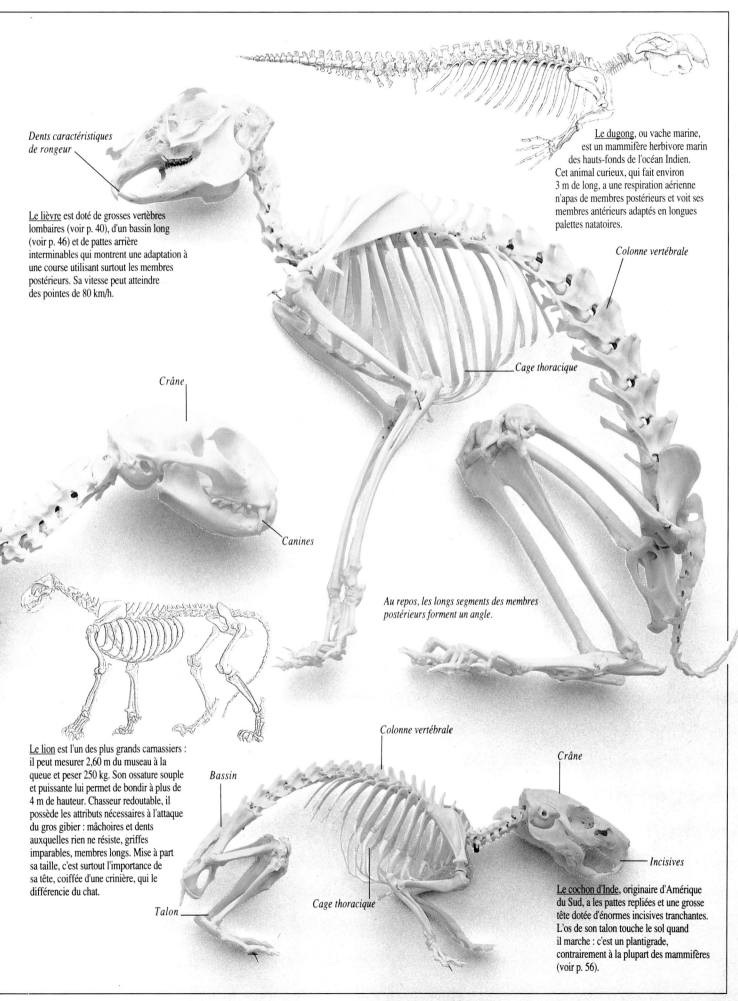

Dents caractéristiques de rongeur

Le lièvre est doté de grosses vertèbres lombaires (voir p. 40), d'un bassin long (voir p. 46) et de pattes arrière interminables qui montrent une adaptation à une course utilisant surtout les membres postérieurs. Sa vitesse peut atteindre des pointes de 80 km/h.

Le dugong, ou vache marine, est un mammifère herbivore marin des hauts-fonds de l'océan Indien. Cet animal curieux, qui fait environ 3 m de long, a une respiration aérienne n'apas de membres postérieurs et voit ses membres antérieurs adaptés en longues palettes natatoires.

Colonne vertébrale

Crâne

Canines

Cage thoracique

Au repos, les longs segments des membres postérieurs forment un angle.

Le lion est l'un des plus grands carnassiers : il peut mesurer 2,60 m du museau à la queue et peser 250 kg. Son ossature souple et puissante lui permet de bondir à plus de 4 m de hauteur. Chasseur redoutable, il possède les attributs nécessaires à l'attaque du gros gibier : mâchoires et dents auxquelles rien ne résiste, griffes imparables, membres longs. Mise à part sa taille, c'est surtout l'importance de sa tête, coiffée d'une crinière, qui le différencie du chat.

Bassin

Colonne vertébrale

Crâne

Incisives

Talon

Cage thoracique

Le cochon d'Inde, originaire d'Amérique du Sud, a les pattes repliées et une grosse tête dotée d'énormes incisives tranchantes. L'os de son talon touche le sol quand il marche : c'est un plantigrade, contrairement à la plupart des mammifères (voir p. 56).

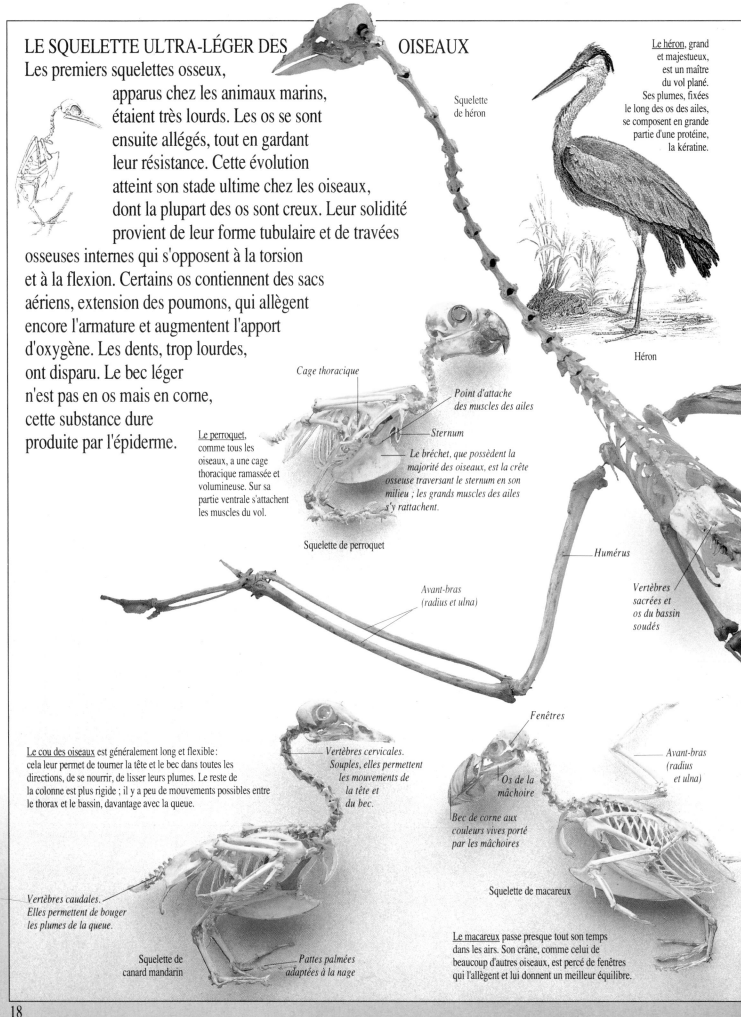

LE SQUELETTE ULTRA-LÉGER DES OISEAUX

Les premiers squelettes osseux, apparus chez les animaux marins, étaient très lourds. Les os se sont ensuite allégés, tout en gardant leur résistance. Cette évolution atteint son stade ultime chez les oiseaux, dont la plupart des os sont creux. Leur solidité provient de leur forme tubulaire et de travées osseuses internes qui s'opposent à la torsion et à la flexion. Certains os contiennent des sacs aériens, extension des poumons, qui allègent encore l'armature et augmentent l'apport d'oxygène. Les dents, trop lourdes, ont disparu. Le bec léger n'est pas en os mais en corne, cette substance dure produite par l'épiderme.

Squelette de héron

Le héron, grand et majestueux, est un maître du vol plané. Ses plumes, fixées le long des os des ailes, se composent en grande partie d'une protéine, la kératine.

Héron

Cage thoracique

Point d'attache des muscles des ailes

Sternum

Le perroquet, comme tous les oiseaux, a une cage thoracique ramassée et volumineuse. Sur sa partie ventrale s'attachent les muscles du vol.

Le bréchet, que possèdent la majorité des oiseaux, est la crête osseuse traversant le sternum en son milieu ; les grands muscles des ailes s'y rattachent.

Squelette de perroquet

Humérus

Avant-bras (radius et ulna)

Vertèbres sacrées et os du bassin soudés

Le cou des oiseaux est généralement long et flexible : cela leur permet de tourner la tête et le bec dans toutes les directions, de se nourrir, de lisser leurs plumes. Le reste de la colonne est plus rigide ; il y a peu de mouvements possibles entre le thorax et le bassin, davantage avec la queue.

Vertèbres cervicales. Souples, elles permettent les mouvements de la tête et du bec.

Fenêtres

Os de la mâchoire

Avant-bras (radius et ulna)

Bec de corne aux couleurs vives porté par les mâchoires

Squelette de macareux

Vertèbres caudales. Elles permettent de bouger les plumes de la queue.

Squelette de canard mandarin

Pattes palmées adaptées à la nage

Le macareux passe presque tout son temps dans les airs. Son crâne, comme celui de beaucoup d'autres oiseaux, est percé de fenêtres qui l'allègent et lui donnent un meilleur équilibre.

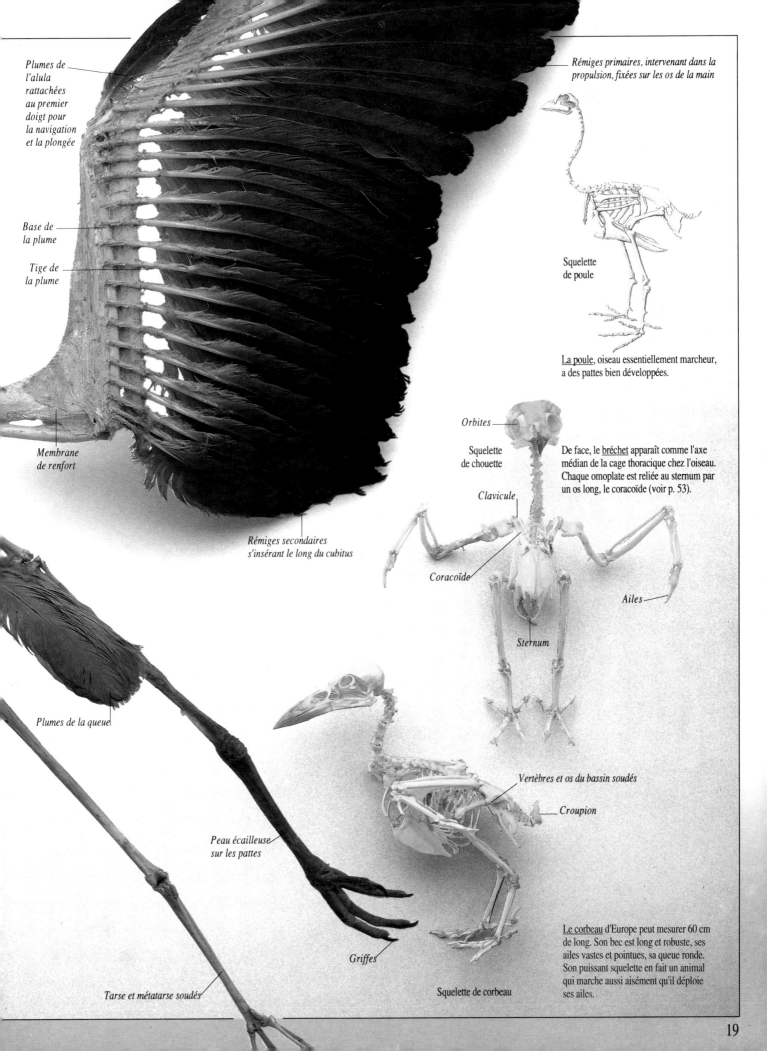

Plumes de l'alula rattachées au premier doigt pour la navigation et la plongée

Base de la plume

Tige de la plume

Membrane de renfort

Plumes de la queue

Peau écailleuse sur les pattes

Griffes

Tarse et métatarse soudés

Rémiges secondaires s'insérant le long du cubitus

Rémiges primaires, intervenant dans la propulsion, fixées sur les os de la main

Squelette de poule

La poule, oiseau essentiellement marcheur, a des pattes bien développées.

Orbites

Squelette de chouette

Clavicule

Coracoïde

De face, le bréchet apparaît comme l'axe médian de la cage thoracique chez l'oiseau. Chaque omoplate est reliée au sternum par un os long, le coracoïde (voir p. 53).

Ailes

Sternum

Vertèbres et os du bassin soudés

Croupion

Squelette de corbeau

Le corbeau d'Europe peut mesurer 60 cm de long. Son bec est long et robuste, ses ailes vastes et pointues, sa queue ronde. Son puissant squelette en fait un animal qui marche aussi aisément qu'il déploie ses ailes.

LES REPTILES AMPHIBIENS ONT UN GRAND ANCÊTRE : LE POISSON

Le squelette des lézards et autres reptiles, des amphibiens ou batraciens comme les grenouilles, ont un plan d'organisation analogue à celui des oiseaux et des mammifères. Mais ce n'est pas leur forme originelle. L'observation des fossiles nous apprend que les poissons sont les premiers animaux dotés d'un squelette interne. L'apparition des premiers vertébrés aquatiques date d'il y a environ 500 millions d'années. Par la suite, certains d'entre eux ont gagné le milieu terrestre et peu à peu leurs nageoires se sont transformées en pattes. C'est ainsi que, progressivement, ils sont devenus des amphibiens.

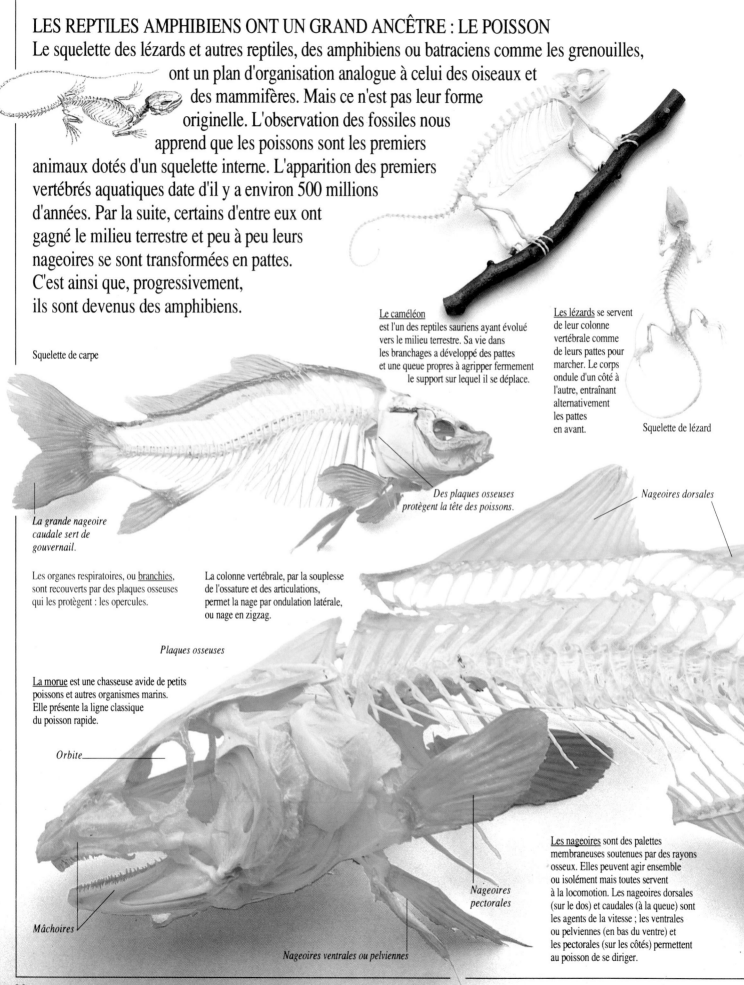

Le caméléon est l'un des reptiles sauriens ayant évolué vers le milieu terrestre. Sa vie dans les branchages a développé des pattes et une queue propres à agripper fermement le support sur lequel il se déplace.

Les lézards se servent de leur colonne vertébrale comme de leurs pattes pour marcher. Le corps ondule d'un côté à l'autre, entraînant alternativement les pattes en avant.

Squelette de lézard

Squelette de carpe

La grande nageoire caudale sert de gouvernail.

Des plaques osseuses protègent la tête des poissons.

Nageoires dorsales

Les organes respiratoires, ou <u>branchies</u>, sont recouverts par des plaques osseuses qui les protègent : les opercules.

La colonne vertébrale, par la souplesse de l'ossature et des articulations, permet la nage par ondulation latérale, ou nage en zigzag.

Plaques osseuses

<u>La morue</u> est une chasseuse avide de petits poissons et autres organismes marins. Elle présente la ligne classique du poisson rapide.

Orbite

Mâchoires

Nageoires pectorales

Nageoires ventrales ou pelviennes

Les nageoires sont des palettes membraneuses soutenues par des rayons osseux. Elles peuvent agir ensemble ou isolément mais toutes servent à la locomotion. Les nageoires dorsales (sur le dos) et caudales (à la queue) sont les agents de la vitesse ; les ventrales ou pelviennes (en bas du ventre) et les pectorales (sur les côtés) permettent au poisson de se diriger.

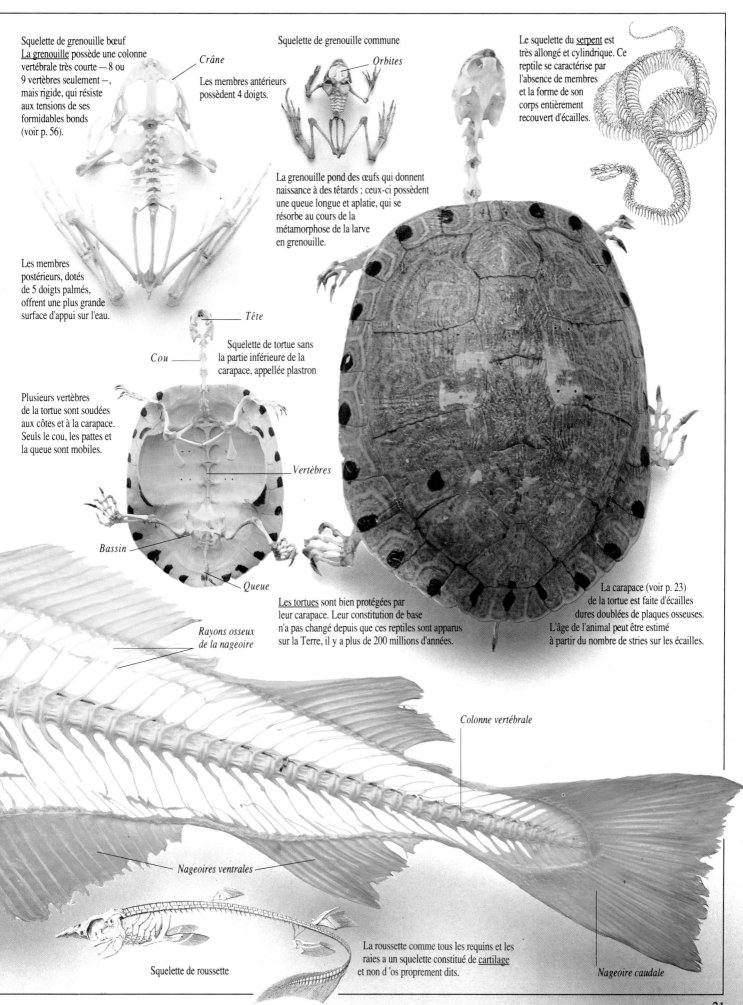

Squelette de grenouille bœuf
La grenouille possède une colonne vertébrale très courte — 8 ou 9 vertèbres seulement —, mais rigide, qui résiste aux tensions de ses formidables bonds (voir p. 56).

Crâne

Les membres antérieurs possèdent 4 doigts.

Squelette de grenouille commune

Orbites

Le squelette du serpent est très allongé et cylindrique. Ce reptile se caractérise par l'absence de membres et la forme de son corps entièrement recouvert d'écailles.

La grenouille pond des œufs qui donnent naissance à des têtards ; ceux-ci possèdent une queue longue et aplatie, qui se résorbe au cours de la métamorphose de la larve en grenouille.

Les membres postérieurs, dotés de 5 doigts palmés, offrent une plus grande surface d'appui sur l'eau.

Tête

Squelette de tortue sans la partie inférieure de la carapace, appellée plastron

Cou

Plusieurs vertèbres de la tortue sont soudées aux côtes et à la carapace. Seuls le cou, les pattes et la queue sont mobiles.

Vertèbres

Bassin

Queue

Les tortues sont bien protégées par leur carapace. Leur constitution de base n'a pas changé depuis que ces reptiles sont apparus sur la Terre, il y a plus de 200 millions d'années.

La carapace (voir p. 23) de la tortue est faite d'écailles dures doublées de plaques osseuses. L'âge de l'animal peut être estimé à partir du nombre de stries sur les écailles.

Rayons osseux de la nageoire

Colonne vertébrale

Nageoires ventrales

Squelette de roussette

La roussette comme tous les requins et les raies a un squelette constitué de cartilage et non d'os proprement dits.

Nageoire caudale

CES SQUELETTES EXTERNES QUI SE MÉTAMORPHOSENT

Une grande majorité d'animaux n'a pas de squelette interne : insectes, araignées, crustacés et autres invertébrés présentent une enveloppe externe rigide qui a les mêmes fonctions qu'un squelette interne, à savoir résistance et soutien, puisqu'elle forme autour des organes un bouclier protecteur. Le squelette externe de ces espèces subit plusieurs métamorphoses ou mues, à différents stades de leur développement.

Les diatomées sont des algues microscopiques formées d'une seule cellule enveloppée dans une membrane. Celle-ci s'incruste de silice et durcit. La surface est ornée de stries délicates.

De tous les animaux, l'insecte a la métamorphose la plus compliquée : il sort de l'œuf à l'état de larve, puis traverse une phase dormante, celle de la chrysalide, de laquelle se dégage l'insecte parfait capable de se reproduire.

C'est à l'état de larve que les insectes passent la plus grande partie de leur vie. C'est pourquoi ce sont les larves qui causent le plus de dégâts à l'agriculture ou à l'industrie.

Les larves de certains insectes xylophages (qui mangent le bois) peuvent vivre pendant trente ans.

Les larves de ce coléoptère vert vif sont un fléau pour les charpentes qu'elles dévorent.

La chrysomèle se camoufle parmi les feuilles des plantes grâce à sa carapace d'un vert lumineux.

Le bousier doit son nom à ses habitudes alimentaires : il se nourrit des excréments des herbivores.

Le lucane, ou cerf-volant, est un grand coléoptère. Il se distingue par ses fortes mandibules branchues.

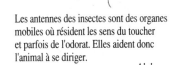

Les antennes des insectes sont des organes mobiles où résident les sens du toucher et parfois de l'odorat. Elles aident donc l'animal à se diriger.

Abdomen

Thorax

Aile membraneuse

Tête

Antenne

Le goliath est bien protégé par son squelette externe fait de chitine, substance organique résistante et imperméable. Comme tous les insectes coléoptères, ses ailes antérieures, ou élytres, ont la forme d'un étui corné et recouvrent au repos les ailes postérieures.

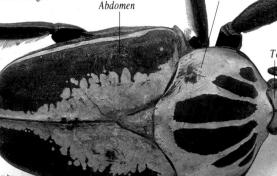

Œil

Élytre

Les pattes des insectes, toujours au nombre de six, sont pourvues de nombreuses articulations.

Sous les élytres protectrices sont repliées les ailes membraneuses utilisées pour le vol.

Les muscles de la patte sont à l'abri dans une enveloppe tubulaire rigide.

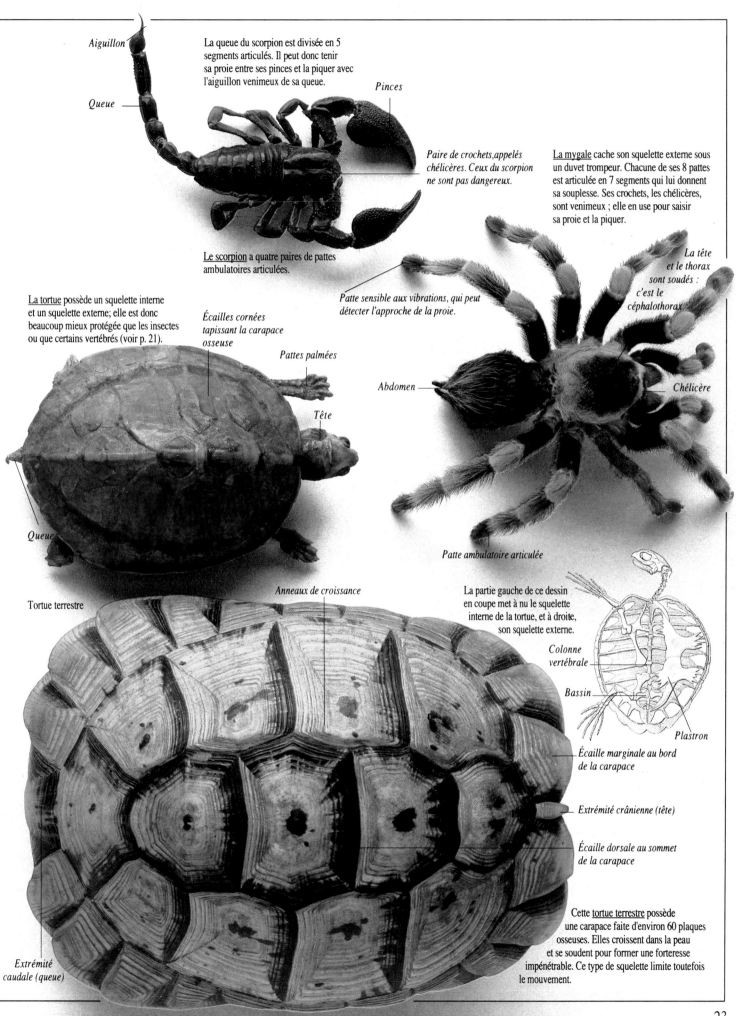

Aiguillon

Queue

La queue du scorpion est divisée en 5 segments articulés. Il peut donc tenir sa proie entre ses pinces et la piquer avec l'aiguillon venimeux de sa queue.

Pinces

Paire de crochets, appelés chélicères. Ceux du scorpion ne sont pas dangereux.

La mygale cache son squelette externe sous un duvet trompeur. Chacune de ses 8 pattes est articulée en 7 segments qui lui donnent sa souplesse. Ses crochets, les chélicères, sont venimeux ; elle en use pour saisir sa proie et la piquer.

Le scorpion a quatre paires de pattes ambulatoires articulées.

La tête et le thorax sont soudés : c'est le céphalothorax.

La tortue possède un squelette interne et un squelette externe; elle est donc beaucoup mieux protégée que les insectes ou que certains vertébrés (voir p. 21).

Écailles cornées tapissant la carapace osseuse

Pattes palmées

Patte sensible aux vibrations, qui peut détecter l'approche de la proie.

Abdomen

Chélicère

Tête

Queue

Patte ambulatoire articulée

Tortue terrestre

Anneaux de croissance

La partie gauche de ce dessin en coupe met à nu le squelette interne de la tortue, et à droite, son squelette externe.

Colonne vertébrale

Bassin

Plastron

Écaille marginale au bord de la carapace

Extrémité crânienne (tête)

Écaille dorsale au sommet de la carapace

Extrémité caudale (queue)

Cette tortue terrestre possède une carapace faite d'environ 60 plaques osseuses. Elles croissent dans la peau et se soudent pour former une forteresse impénétrable. Ce type de squelette limite toutefois le mouvement.

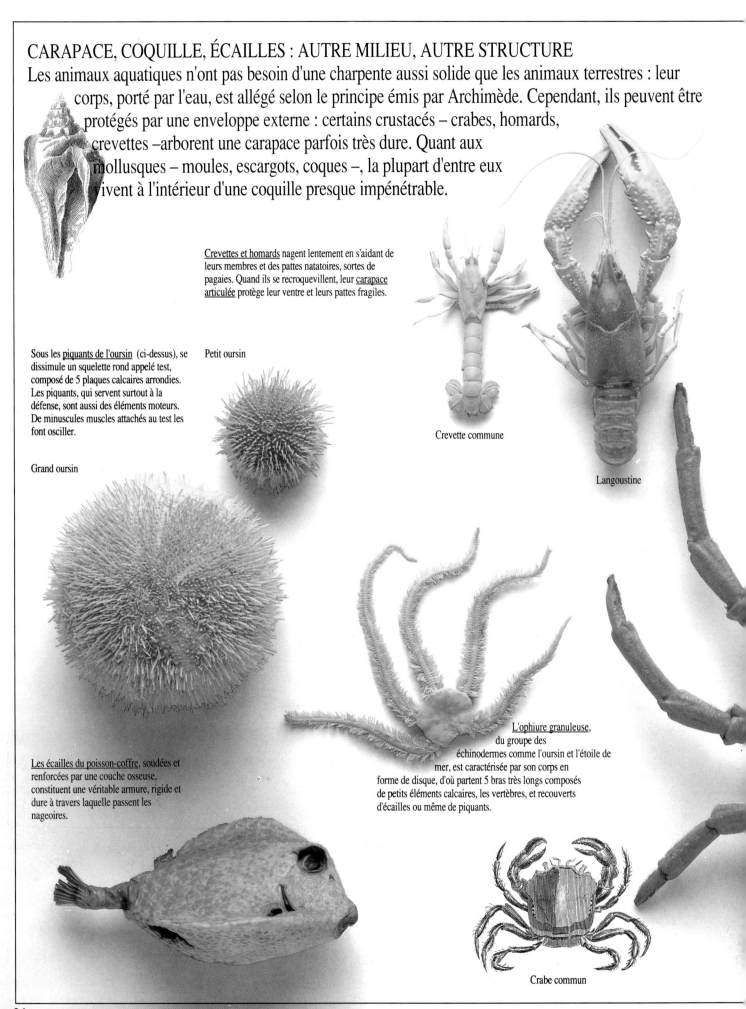

CARAPACE, COQUILLE, ÉCAILLES : AUTRE MILIEU, AUTRE STRUCTURE

Les animaux aquatiques n'ont pas besoin d'une charpente aussi solide que les animaux terrestres : leur corps, porté par l'eau, est allégé selon le principe émis par Archimède. Cependant, ils peuvent être protégés par une enveloppe externe : certains crustacés – crabes, homards, crevettes –arborent une carapace parfois très dure. Quant aux mollusques – moules, escargots, coques –, la plupart d'entre eux vivent à l'intérieur d'une coquille presque impénétrable.

Crevettes et homards nagent lentement en s'aidant de leurs membres et des pattes natatoires, sortes de pagaies. Quand ils se recroquevillent, leur carapace articulée protège leur ventre et leurs pattes fragiles.

Sous les piquants de l'oursin (ci-dessus), se dissimule un squelette rond appelé test, composé de 5 plaques calcaires arrondies. Les piquants, qui servent surtout à la défense, sont aussi des éléments moteurs. De minuscules muscles attachés au test les font osciller.

Petit oursin

Crevette commune

Grand oursin

Langoustine

Les écailles du poisson-coffre, soudées et renforcées par une couche osseuse, constituent une véritable armure, rigide et dure à travers laquelle passent les nageoires.

L'ophiure granuleuse, du groupe des échinodermes comme l'oursin et l'étoile de mer, est caractérisée par son corps en forme de disque, d'où partent 5 bras très longs composés de petits éléments calcaires, les vertèbres, et recouverts d'écailles ou même de piquants.

Crabe commun

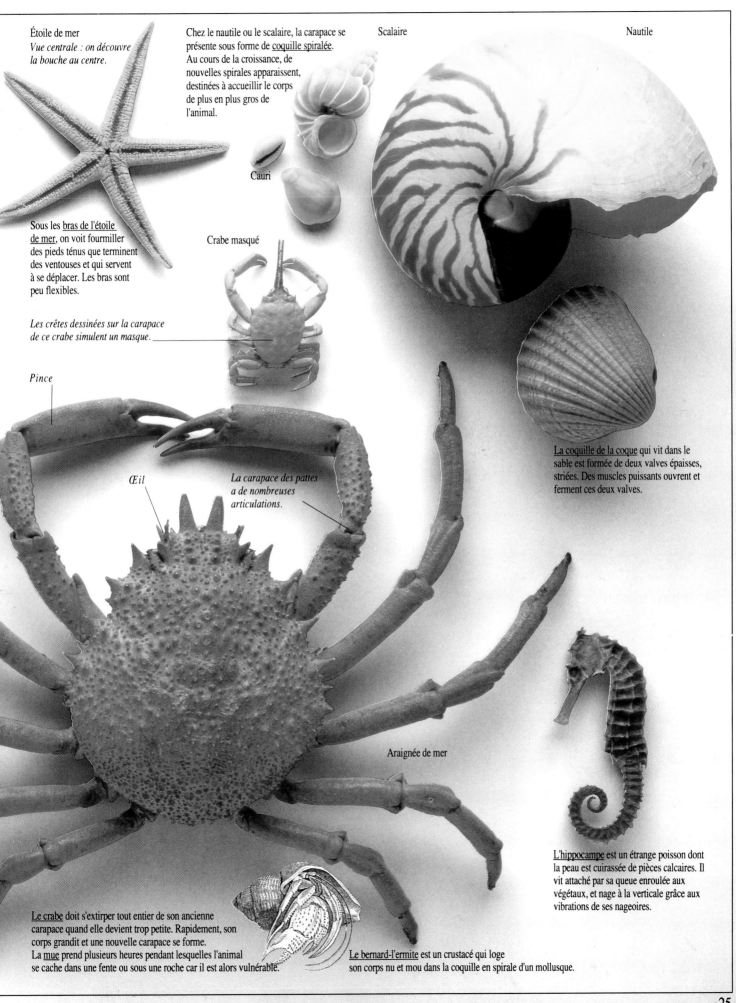

Étoile de mer
Vue centrale : on découvre la bouche au centre.

Chez le nautile ou le scalaire, la carapace se présente sous forme de coquille spiralée. Au cours de la croissance, de nouvelles spirales apparaissent, destinées à accueillir le corps de plus en plus gros de l'animal.

Scalaire

Nautile

Cauri

Sous les bras de l'étoile de mer, on voit fourmiller des pieds ténus que terminent des ventouses et qui servent à se déplacer. Les bras sont peu flexibles.

Crabe masqué

Les crêtes dessinées sur la carapace de ce crabe simulent un masque.

Pince

Œil

La carapace des pattes a de nombreuses articulations.

La coquille de la coque qui vit dans le sable est formée de deux valves épaisses, striées. Des muscles puissants ouvrent et ferment ces deux valves.

Araignée de mer

L'hippocampe est un étrange poisson dont la peau est cuirassée de pièces calcaires. Il vit attaché par sa queue enroulée aux végétaux, et nage à la verticale grâce aux vibrations de ses nageoires.

Le crabe doit s'extirper tout entier de son ancienne carapace quand elle devient trop petite. Rapidement, son corps grandit et une nouvelle carapace se forme. La mue prend plusieurs heures pendant lesquelles l'animal se cache dans une fente ou sous une roche car il est alors vulnérable.

Le bernard-l'ermite est un crustacé qui loge son corps nu et mou dans la coquille en spirale d'un mollusque.

L'HOMME DE LA TÊTE AUX PIEDS

La tête est la partie supérieure du corps humain qui enferme
les principaux centres nerveux : le cerveau, d'abord, coordinateur
central, reçoit toutes les informations et organise les réactions
de chaque partie du corps. Les organes des sens, à l'exception
du toucher, ont eux aussi leur siège dans la tête ; ils sont
les intermédiaires entre le milieu extérieur et le cerveau.
Les yeux et les oreilles sont abrités dans des niches osseuses du crâne,
tandis que le nez, détecteur des odeurs et des vapeurs, émerge
de la face. La base du crâne et la mandibule protègent
la bouche, où les aliments sont broyés par les dents.

Les dents sont à la fois solides et sensibles. Encore actuellement,
en dépit de soins sophistiqués, on redoute les visites
chez le dentiste, qui n'ont pourtant rien à voir
avec les séances redoutables
chez l'arracheur de dents
du Moyen Âge.

Le volume interne de la boîte crânienne
varie autour de 1 300 centimètres cubes ;
le poids du cerveau humain oscille
entre 1 000 et 2 000 grammes.

La radiographie de la tête
fait apparaître les os du crâne,
de la face et du cou ainsi
que les cartilages du nez
et du pavillon de l'oreille.

L'orbite est une cavité ;
elle abrite le globe
oculaire, lui-même
protégé par
une paupière ;
elle renferme
aussi les 6
muscles
qui rendent
l'œil mobile,
le nerf optique
qui relie l'œil
au cerveau.
La glande
lacrymale s'y
loge aussi.
Elle sécrète
les larmes :
un liquide
destiné à
nettoyer et
lubrifier
l'œil.

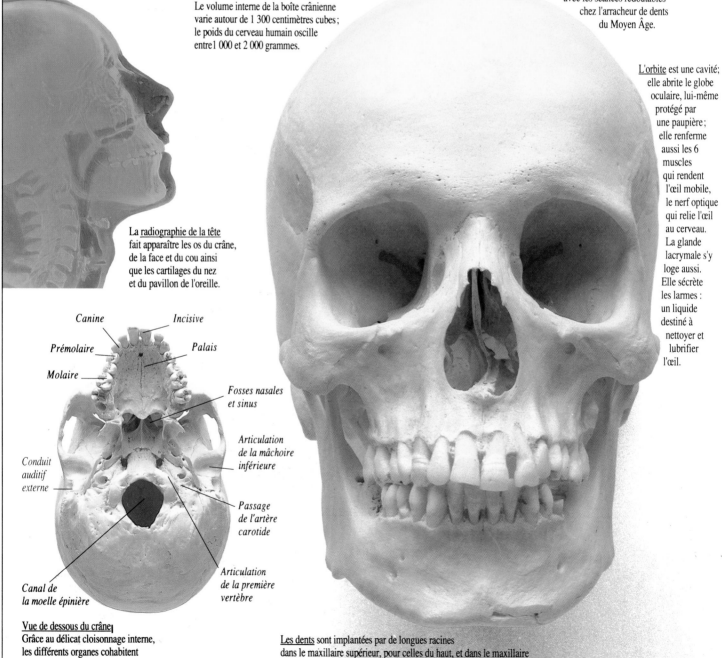

Canine

Incisive

Prémolaire

Palais

Molaire

Fosses nasales
et sinus

Articulation
de la mâchoire
inférieure

Conduit
auditif
externe

Passage
de l'artère
carotide

Articulation
de la première
vertèbre

Canal de
la moelle épinière

Vue de dessous du crâne
Grâce au délicat cloisonnage interne,
les différents organes cohabitent
en toute sécurité.

Les dents sont implantées par de longues racines
dans le maxillaire supérieur, pour celles du haut, et dans le maxillaire
inférieur, aussi nommé la mandibule, pour celles du bas.

L'adulte a <u>32 dents</u> : 4 incisives frontales, de part et d'autre 2 canines, 4 prémolaires et 6 molaires à chaque mâchoire. L'émail dentaire est la substance la plus robuste de l'organisme.

L'incisive sert à couper.

La prémolaire broie et mastique.

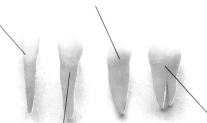

La canine perce et déchire.

La molaire, elle aussi, broie et mastique.

<u>La dent en coupe</u> présente une superposition de couches : l'émail externe, résistant et protecteur ; l'ivoire dur, en dessous ; puis la pulpe, parcourue de nerfs et de vaisseaux sanguins.

Couronne

Couche d'émail

Couche d'ivoire

Pulpe

Racine

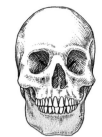

Temporal

Masséter

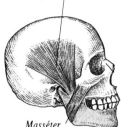

Le <u>masticage</u> des aliments se fait grâce à la mâchoire inférieure actionnée de haut en bas, de droite à gauche et d'avant en arrière, par 2 muscles : le temporal et le masséter. La langue déplace les aliments dans la bouche ; les muscles des joues les maintiennent entre les dents.

Radio panoramique de la <u>dentition d'un enfant</u>. Ses mâchoires ne contiennent pas plus de 20 dents, qui tombent à partir de 6 ans : ce sont les dents de lait, remplacées ensuite par les dents définitives.

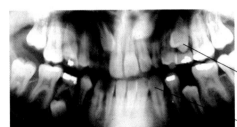

Dent définitive en développement dans la gencive.

Dent de lait

<u>Le front</u> présente une surface bombée dessinée par l'os frontal (voir p. 29), qui abrite la partie avant du cerveau.

<u>Le creux des tempes</u> correspond aux fosses temporales, de chaque côté du crâne. L'os temporal renferme l'appareil qui sert à l'audition. Le muscle temporal s'insère dans la fosse et se rattache à l'extrémité du maxillaire inférieur, d'où son importance dans la mastication.

<u>Le nez</u> proprement dit est constitué de chair et de cartilage ; seule son assise supérieure est osseuse : ce sont les os propres du nez (ou naseaux).

<u>Le conduit auditif</u> comprend 2 parties : un conduit externe qui s'étend du fond de la cavité auriculaire jusqu'au tympan ; et un conduit interne creusé profondément dans la partie du temporal appelée rocher.

<u>La pommette</u>, plus ou moins saillante selon les individus, est constituée par le malaire et une extrémité, allongée en forme de doigt, de l'os temporal (voir p. 29). Elle protège vers l'avant la base du globe oculaire.

<u>Le menton</u> transmet jusqu'au cerveau les chocs qu'il reçoit accidentellement : la mâchoire étant rigide, elle n'absorbe pas les vibrations et ébranle le cerveau. C'est pourquoi un coup au menton peut provoquer une perte de connaissance.

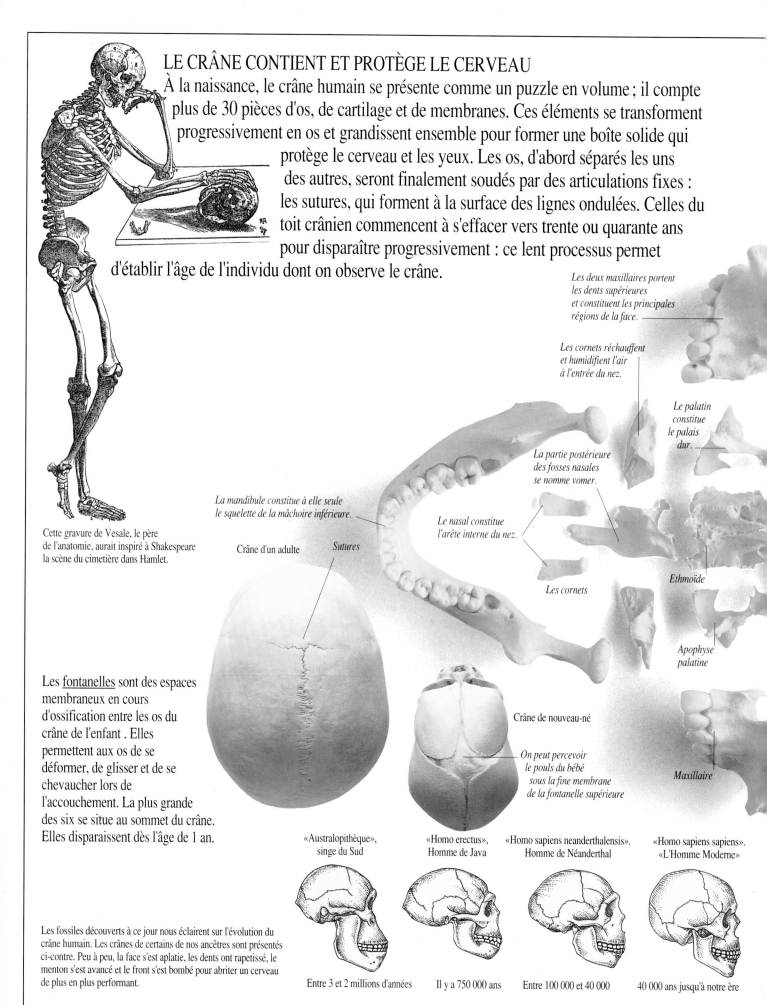

LE CRÂNE CONTIENT ET PROTÈGE LE CERVEAU

À la naissance, le crâne humain se présente comme un puzzle en volume ; il compte plus de 30 pièces d'os, de cartilage et de membranes. Ces éléments se transforment progressivement en os et grandissent ensemble pour former une boîte solide qui protège le cerveau et les yeux. Les os, d'abord séparés les uns des autres, seront finalement soudés par des articulations fixes : les sutures, qui forment à la surface des lignes ondulées. Celles du toit crânien commencent à s'effacer vers trente ou quarante ans pour disparaître progressivement : ce lent processus permet d'établir l'âge de l'individu dont on observe le crâne.

Cette gravure de Vesale, le père de l'anatomie, aurait inspiré à Shakespeare la scène du cimetière dans Hamlet.

Les deux maxillaires portent les dents supérieures et constituent les principales régions de la face.

Les cornets réchauffent et humidifient l'air à l'entrée du nez.

Le palatin constitue le palais dur.

La partie postérieure des fosses nasales se nomme vomer.

Le nasal constitue l'arête interne du nez.

La mandibule constitue à elle seule le squelette de la mâchoire inférieure.

Crâne d'un adulte

Sutures

Les cornets

Ethmoïde

Apophyse palatine

Les fontanelles sont des espaces membraneux en cours d'ossification entre les os du crâne de l'enfant . Elles permettent aux os de se déformer, de glisser et de se chevaucher lors de l'accouchement. La plus grande des six se situe au sommet du crâne. Elles disparaissent dès l'âge de 1 an.

Crâne de nouveau-né

On peut percevoir le pouls du bébé sous la fine membrane de la fontanelle supérieure

Maxillaire

«Australopithèque», singe du Sud

«Homo erectus», Homme de Java

«Homo sapiens neanderthalensis». Homme de Néanderthal

«Homo sapiens sapiens». «L'Homme Moderne»

Les fossiles découverts à ce jour nous éclairent sur l'évolution du crâne humain. Les crânes de certains de nos ancêtres sont présentés ci-contre. Peu à peu, la face s'est aplatie, les dents ont rapetissé, le menton s'est avancé et le front s'est bombé pour abriter un cerveau de plus en plus performant.

Entre 3 et 2 millions d'années

Il y a 750 000 ans

Entre 100 000 et 40 000

40 000 ans jusqu'à notre ère

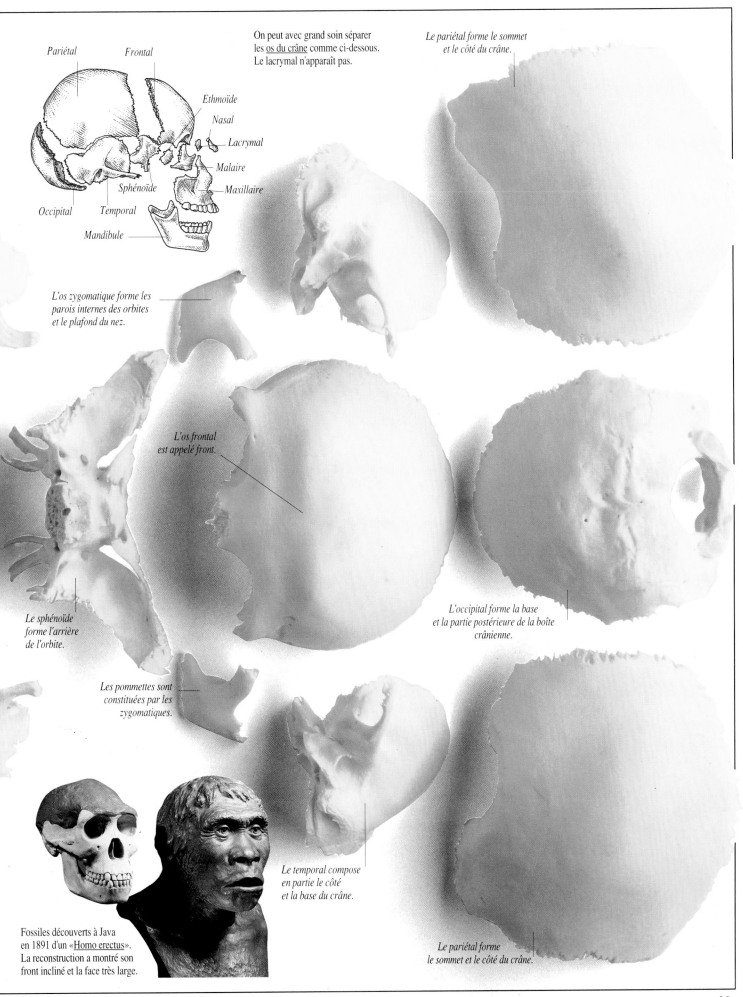

Pariétal   Frontal

Ethmoïde

Nasal

Lacrymal

Malaire

Maxillaire

Sphénoïde

Occipital   Temporal

Mandibule

On peut avec grand soin séparer les os du crâne comme ci-dessous. Le lacrymal n'apparaît pas.

Le pariétal forme le sommet et le côté du crâne.

L'os zygomatique forme les parois internes des orbites et le plafond du nez.

L'os frontal est appelé front.

Le sphénoïde forme l'arrière de l'orbite.

L'occipital forme la base et la partie postérieure de la boîte crânienne.

Les pommettes sont constituées par les zygomatiques.

Le temporal compose en partie le côté et la base du crâne.

Fossiles découverts à Java en 1891 d'un «Homo erectus». La reconstruction a montré son front incliné et la face très large.

Le pariétal forme le sommet et le côté du crâne.

29

L'INFINIE VARIÉTÉ DES CRÂNES D'ANIMAUX

Parmi les animaux, seuls les vertébrés sont dotés d'un crâne, dont chaque espèce présente une forme spécifique, adaptée à son mode de vie. Certains sont longs et pointus, d'autres larges et ramassés, quelques-uns encore présentent des excroissances. Aucune mâchoire ne fermait la bouche des premiers vertébrés. Le crâne, très fenestré chez les amphibiens et les reptiles, devient plus compact chez les mammifères.

Un crâne d'oiseau est très léger et doté de grandes orbites. La boîte crânienne, petite et ronde, est très en arrière.

Le fou de Bassan plonge sur sa proie de très haut, pointant son bec long et fuselé.

L'avocette possède un bec relevé pour passer l'eau de mer au tamis.

Le bec-scie du harle facilite la capture du poisson.

La chouette a un crâne large dans lequel s'insèrent d'énormes yeux.

L'amazone, variété de perroquet, a un gros bec crochu destiné à briser les graines.

Le courlis a un long bec avec lequel il capture de petites proies.

Le merle possède un bec pointu qui lui permet d'attraper insectes, vers, baies et graines.

Le colvert, comme la plupart des canards, plonge son bec large et plat dans l'eau, d'où il prélève de minuscules fragments de nourriture.

Le hamster ronge graines et noix grâce à de grandes incisives.

Les dents du hérisson, petites et pointues, sont caractéristiques d'un régime à base d'insectes et autres petits invertébrés.

Le crâne du lapin est reconnaissable à ses profondes orbites bien écartées et à ses incisives particulièrement longues.

Parmi toutes les espèces de chiens, certaines ont été élevées sélectivement à des fins précises. Leur morphologie présente donc des caractéristiques liées à leur évolution : le boxer, chien de garde à la face écrasée et la mâchoire inférieure proéminente ; le colley, chien de berger a le museau très allongé et des membres déliés.

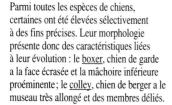

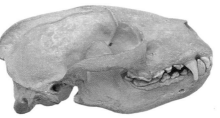

Le crâne de la grenouille s'agrémente d'une paire d'yeux pédonculés aux pupilles horizontales ; elle n'a de dents qu'à la mâchoire inférieure et à la base des fosses nasales.

Le tatou a un museau allongé, une boîte crânienne de taille réduite car son cerveau est petit ; ses dents n'ont ni racine, ni émail : il appartient à l'ordre des Édentés.

Le blaireau a un crâne lourd, ramassé, et de longues canines de chasseur.

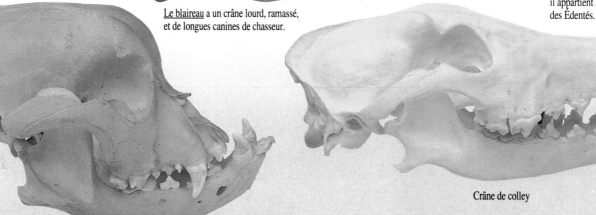

Crâne de boxer

Crâne de colley

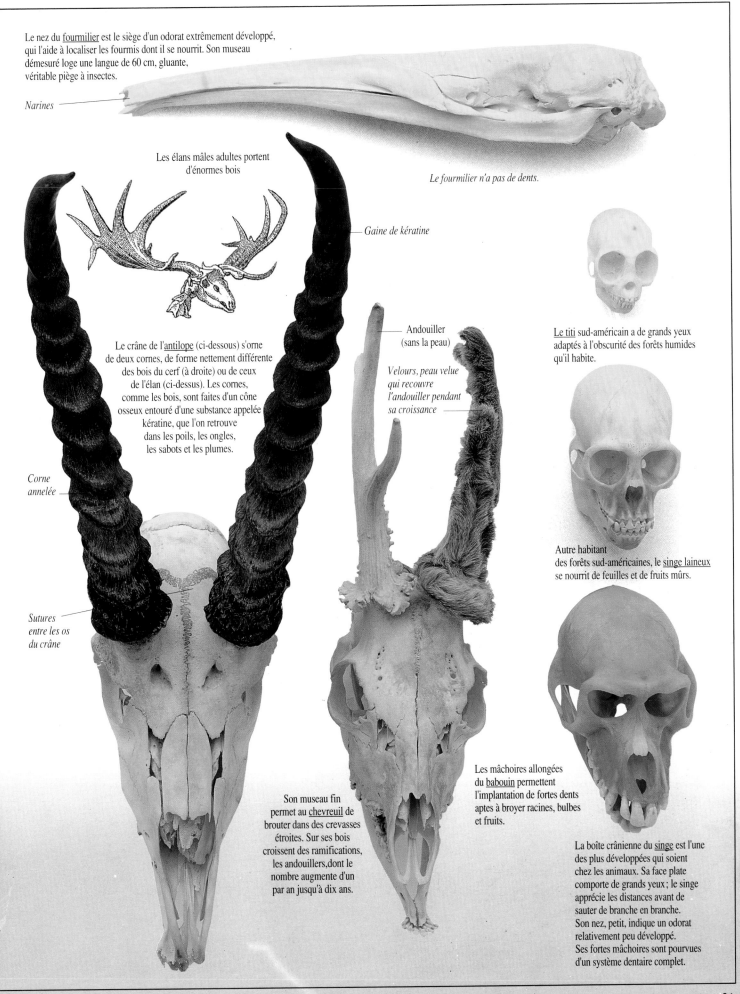

Le nez du <u>fourmilier</u> est le siège d'un odorat extrêmement développé, qui l'aide à localiser les fourmis dont il se nourrit. Son museau démesuré loge une langue de 60 cm, gluante, véritable piège à insectes.

Narines

Le fourmilier n'a pas de dents.

Les élans mâles adultes portent d'énormes bois

Gaine de kératine

Le crâne de l'<u>antilope</u> (ci-dessous) s'orne de deux cornes, de forme nettement différente des bois du cerf (à droite) ou de ceux de l'élan (ci-dessus). Les cornes, comme les bois, sont faites d'un cône osseux entouré d'une substance appelée kératine, que l'on retrouve dans les poils, les ongles, les sabots et les plumes.

Andouiller (sans la peau)

Velours, peau velue qui recouvre l'andouiller pendant sa croissance

Le <u>titi</u> sud-américain a de grands yeux adaptés à l'obscurité des forêts humides qu'il habite.

Corne annelée

Sutures entre les os du crâne

Autre habitant des forêts sud-américaines, le <u>singe laineux</u> se nourrit de feuilles et de fruits mûrs.

Son museau fin permet au <u>chevreuil</u> de brouter dans des crevasses étroites. Sur ses bois croissent des ramifications, les andouillers,dont le nombre augmente d'un par an jusqu'à dix ans.

Les mâchoires allongées du <u>babouin</u> permettent l'implantation de fortes dents aptes à broyer racines, bulbes et fruits.

La boîte crânienne du <u>singe</u> est l'une des plus développées qui soient chez les animaux. Sa face plate comporte de grands yeux ; le singe apprécie les distances avant de sauter de branche en branche. Son nez, petit, indique un odorat relativement peu développé. Ses fortes mâchoires sont pourvues d'un système dentaire complet.

CORNES, BEC, MUSEAU, GROIN

Le crâne des animaux, comme le reste du squelette, a subi une longue évolution. Il constitue un ensemble d'indices précis sur leur mode de vie et leur alimentation. Sa forme, sa taille, les parties liées aux organes des sens résultent d'adaptations à un style de vie spécifique. Un carnivore chassant à vue aura de grands yeux et par conséquent de grandes orbites. Un animal doué d'un odorat développé sera pourvu d'un long museau abritant des organes olfactifs importants. Mâchoires et dents sont des indices tout aussi révélateurs.

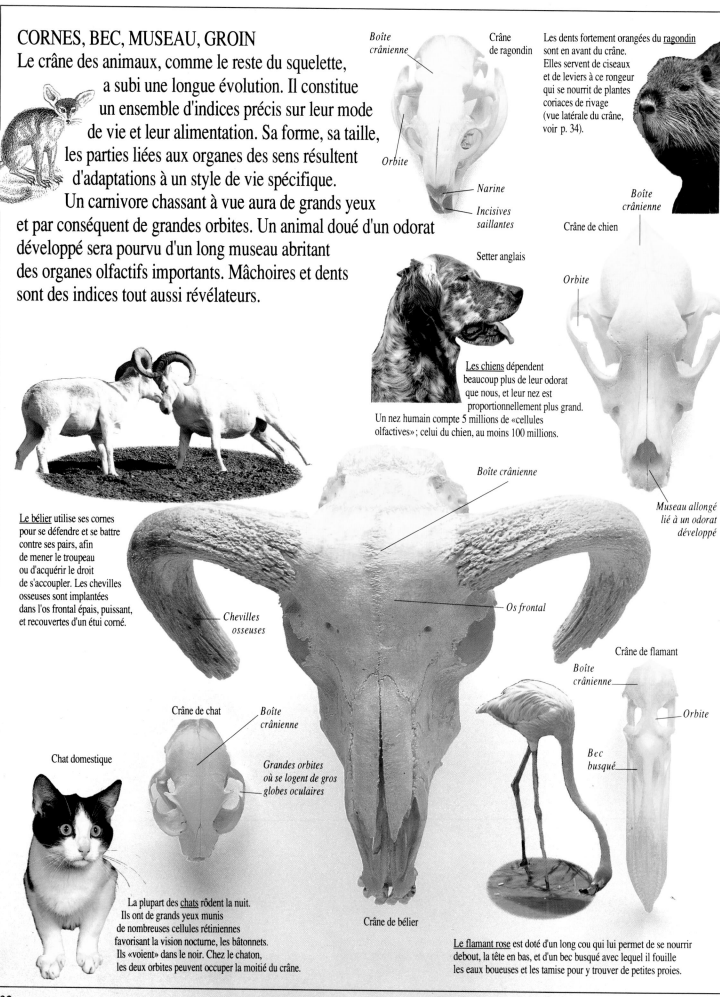

Boîte crânienne

Crâne de ragondin

Orbite

Narine

Incisives saillantes

Les dents fortement orangées du ragondin sont en avant du crâne. Elles servent de ciseaux et de leviers à ce rongeur qui se nourrit de plantes coriaces de rivage (vue latérale du crâne, voir p. 34).

Boîte crânienne

Crâne de chien

Orbite

Setter anglais

Les chiens dépendent beaucoup plus de leur odorat que nous, et leur nez est proportionnellement plus grand. Un nez humain compte 5 millions de «cellules olfactives»; celui du chien, au moins 100 millions.

Boîte crânienne

Museau allongé lié à un odorat développé

Le bélier utilise ses cornes pour se défendre et se battre contre ses pairs, afin de mener le troupeau ou d'acquérir le droit de s'accoupler. Les chevilles osseuses sont implantées dans l'os frontal épais, puissant, et recouvertes d'un étui corné.

Chevilles osseuses

Os frontal

Crâne de flamant

Boîte crânienne

Orbite

Crâne de chat

Boîte crânienne

Grandes orbites où se logent de gros globes oculaires

Chat domestique

Bec busqué

La plupart des chats rôdent la nuit. Ils ont de grands yeux munis de nombreuses cellules rétiniennes favorisant la vision nocturne, les bâtonnets. Ils «voient» dans le noir. Chez le chaton, les deux orbites peuvent occuper la moitié du crâne.

Crâne de bélier

Le flamant rose est doté d'un long cou qui lui permet de se nourrir debout, la tête en bas, et d'un bec busqué avec lequel il fouille les eaux boueuses et les tamise pour y trouver de petites proies.

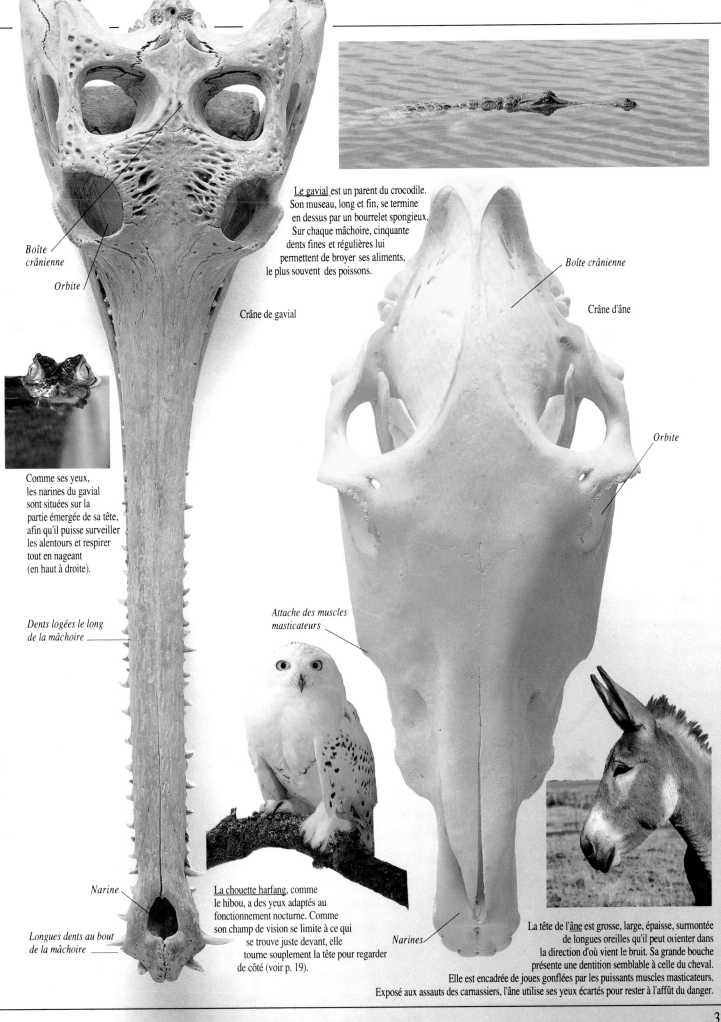

Boîte
crânienne

Orbite

Comme ses yeux,
les narines du gavial
sont situées sur la
partie émergée de sa tête,
afin qu'il puisse surveiller
les alentours et respirer
tout en nageant
(en haut à droite).

Dents logées le long
de la mâchoire

Narine

Longues dents au bout
de la mâchoire

Le gavial est un parent du crocodile.
Son museau, long et fin, se termine
en dessus par un bourrelet spongieux.
Sur chaque mâchoire, cinquante
dents fines et régulières lui
permettent de broyer ses aliments,
le plus souvent des poissons.

Crâne de gavial

Attache des muscles
masticateurs

La chouette harfang, comme
le hibou, a des yeux adaptés au
fonctionnement nocturne. Comme
son champ de vision se limite à ce qui
se trouve juste devant, elle
tourne souplement la tête pour regarder
de côté (voir p. 19).

Boîte crânienne

Crâne d'âne

Orbite

Narines

La tête de l'âne est grosse, large, épaisse, surmontée
de longues oreilles qu'il peut orienter dans
la direction d'où vient le bruit. Sa grande bouche
présente une dentition semblable à celle du cheval.
Elle est encadrée de joues gonflées par les puissants muscles masticateurs.
Exposé aux assauts des carnassiers, l'âne utilise ses yeux écartés pour rester à l'affût du danger.

UNE MÂCHOIRE ADAPTÉE À L'ALIMENTATION

La forme des mâchoires et des dents d'un animal nous informe sur son alimentation. Des mâchoires longues et minces dotées de petites dents en avant servent à fouiller et à dévorer baies ou insectes. Elles n'ont pas la force des mâchoires courtes et larges, armées de grandes dents, permettant de broyer des plantes, de briser des os ou du cartilage, de déchiqueter viande et feuillage.

Souris, rats, écureuils et ragondins sont des <u>rongeurs herbivores</u> que caractérisent leurs quatre grandes incisives particulièrement acérées.

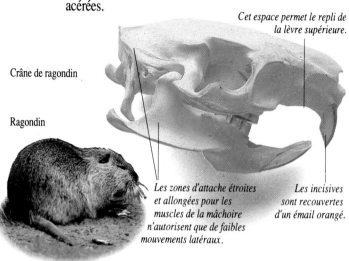

Cet espace permet le repli de la lèvre supérieure.

Crâne de ragondin

Ragondin

Les zones d'attache étroites et allongées pour les muscles de la mâchoire n'autorisent que de faibles mouvements latéraux.

Les incisives sont recouvertes d'un émail orangé.

Les <u>incisives du rongeur</u> ne cessent jamais de pousser, mais elles sont continuellement émoussées par l'usage. La lèvre supérieure est repliée à l'intérieur de la bouche, en arrière des incisives.

La mâchoire inférieure des rongeurs se déplace de haut en bas.

Vaches, chevaux, chameaux, moutons, chèvres et cerfs sont des <u>herbivores</u> : ils se nourrissent de plantes. Leurs molaires et prémolaires, dents broyeuses, sont bien développées. Quant aux articulations des mâchoires, elles autorisent les mouvements verticaux et latéraux.

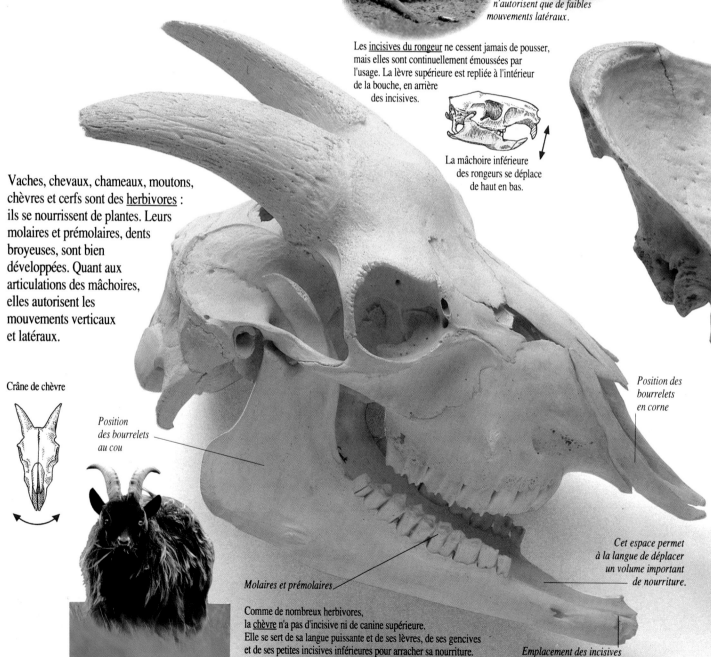

Crâne de chèvre

Position des bourrelets au cou

Position des bourrelets en corne

Molaires et prémolaires

Cet espace permet à la langue de déplacer un volume important de nourriture.

Comme de nombreux herbivores, la <u>chèvre</u> n'a pas d'incisive ni de canine supérieure. Elle se sert de sa langue puissante et de ses lèvres, de ses gencives et de ses petites incisives inférieures pour arracher sa nourriture. Sa mâchoire inférieure glisse d'avant en arrière pour mieux la broyer.

Emplacement des incisives inférieures (absentes sur ce crâne)

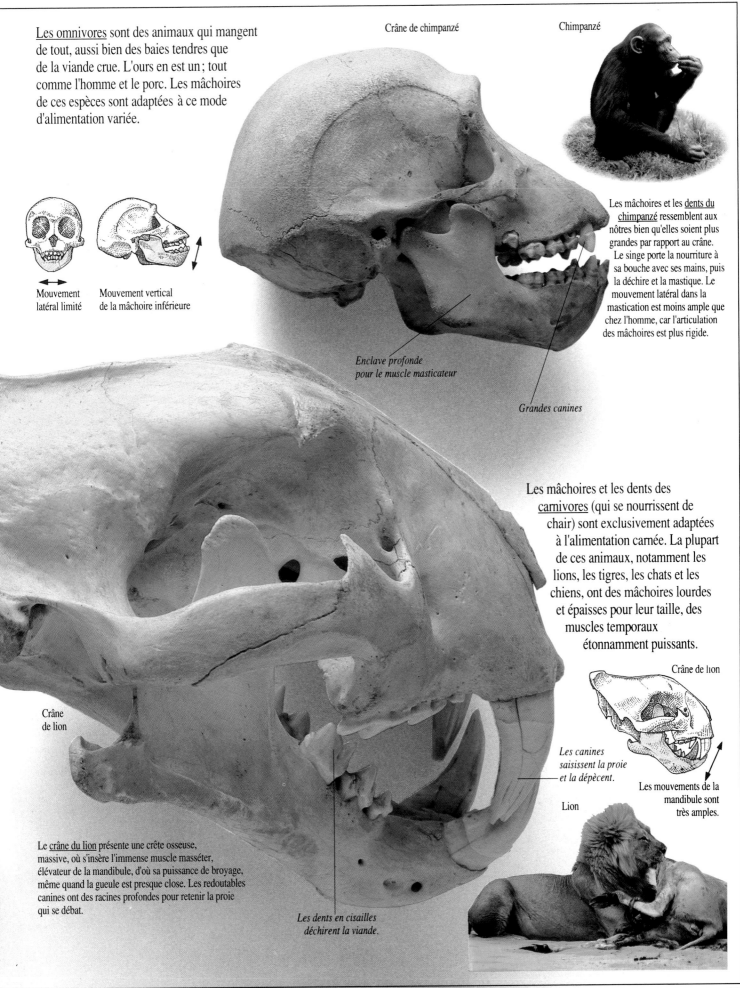

Les omnivores sont des animaux qui mangent de tout, aussi bien des baies tendres que de la viande crue. L'ours en est un ; tout comme l'homme et le porc. Les mâchoires de ces espèces sont adaptées à ce mode d'alimentation variée.

Crâne de chimpanzé

Chimpanzé

Mouvement latéral limité

Mouvement vertical de la mâchoire inférieure

Les mâchoires et les dents du chimpanzé ressemblent aux nôtres bien qu'elles soient plus grandes par rapport au crâne. Le singe porte la nourriture à sa bouche avec ses mains, puis la déchire et la mastique. Le mouvement latéral dans la mastication est moins ample que chez l'homme, car l'articulation des mâchoires est plus rigide.

Enclave profonde pour le muscle masticateur

Grandes canines

Les mâchoires et les dents des carnivores (qui se nourrissent de chair) sont exclusivement adaptées à l'alimentation carnée. La plupart de ces animaux, notamment les lions, les tigres, les chats et les chiens, ont des mâchoires lourdes et épaisses pour leur taille, des muscles temporaux étonnamment puissants.

Crâne de lion

Les canines saisissent la proie et la dépècent.

Les mouvements de la mandibule sont très amples.

Lion

Crâne de lion

Le crâne du lion présente une crête osseuse, massive, où s'insère l'immense muscle masséter, élévateur de la mandibule, d'où sa puissance de broyage, même quand la gueule est presque close. Les redoutables canines ont des racines profondes pour retenir la proie qui se débat.

Les dents en cisailles déchirent la viande.

DES DENTS POUR COUPER, DÉCHIRER, BROYER

Les dents des vertébrés se sont spécialisées au cours de l'évolution : elles sont toutes identiques chez les poissons et les amphibiens et ont disparu chez les oiseaux. Peu diversifiées chez les reptiles, elles le sont considérablement chez les mammifères qui possèdent presque tous incisives, canines, prémolaires et molaires. Les herbivores qui broient longuement les végétaux ont des molaires plates ; les carnivores, qui déchirent la viande sans la mastiquer, ont des dents tranchantes et pointues.

Il a fallu l'ivoire de sept défenses d'éléphant pour fabriquer chacune de ces statuettes.

D'innombrables éléphants sont tués pour leur défenses : de l'ivoire on fait des touches blanches de piano, des boules de billard, des sculptures. Cette chasse est désormais contrôlée mais le braconnage continue.

L'éléphant a six molaires sur chaque demi-mâchoire et n'en utilise qu'une ou deux à la fois. Elles poussent à tour de rôle. Lorsque les premières sont usées, les suivantes les chassent vers l'avant en se développant. Une fois ses dernières molaires usées, l'éléphant ne peut plus se nourrir.

Arête en émail

Cément

Molaire d'éléphant

Dentine

Racine arrière

Racine avant

Les herbivores, comme le cheval ou le zèbre, broient longuement les végétaux, **les carnivores** déchirent des morceaux de viande qu'ils avalent sans les mastiquer. Cette différence se retrouve sur les dents : les herbivores ont des prémolaires et des molaires broyeuses plates alors que celles des carnivores sont tranchantes et pointues.

Mandibule du cheval

Incisives

Longues couronnes

Large surface de mastication

Molaires

Le cheval arrache des touffes d'herbe à l'aide de ses incisives. Ses énormes molaires et prémolaires, profondément ancrées dans la mâchoire, réduisent les aliments en bouillie.

Ces dents proviennent de la mâchoire supérieure d'un chien : à chaque fonction différente répond une forme particulière.

Molaire briseuse d'os

Molaire carnassière tranchante

Prémolaire broyeuse

Longue canine pointue

Petite incisive préhensile

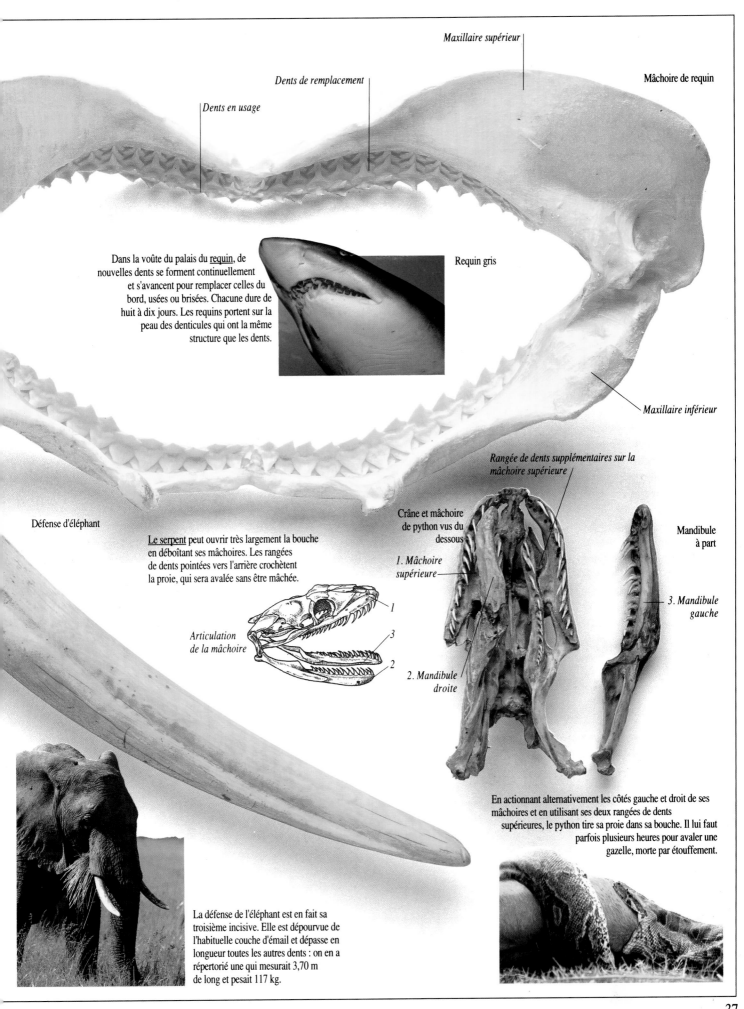

Maxillaire supérieur

Mâchoire de requin

Dents de remplacement

Dents en usage

Dans la voûte du palais du <u>requin</u>, de nouvelles dents se forment continuellement et s'avancent pour remplacer celles du bord, usées ou brisées. Chacune dure de huit à dix jours. Les requins portent sur la peau des denticules qui ont la même structure que les dents.

Requin gris

Maxillaire inférieur

Rangée de dents supplémentaires sur la mâchoire supérieure

Crâne et mâchoire de python vus du dessous

Défense d'éléphant

<u>Le serpent</u> peut ouvrir très largement la bouche en déboîtant ses mâchoires. Les rangées de dents pointées vers l'arrière crochètent la proie, qui sera avalée sans être mâchée.

1. Mâchoire supérieure

Mandibule à part

Articulation de la mâchoire

3. Mandibule gauche

2. Mandibule droite

En actionnant alternativement les côtés gauche et droit de ses mâchoires et en utilisant ses deux rangées de dents supérieures, le python tire sa proie dans sa bouche. Il lui faut parfois plusieurs heures pour avaler une gazelle, morte par étouffement.

La défense de l'éléphant est en fait sa troisième incisive. Elle est dépourvue de l'habituelle couche d'émail et dépasse en longueur toutes les autres dents : on en a répertorié une qui mesurait 3,70 m de long et pesait 117 kg.

LA COLONNE VERTÉBRALE

La colonne vertébrale constitue un axe de soutien pour l'ensemble du corps.
La tête s'articule sur la première vertèbre. Omoplates et clavicules y sont
reliées par des muscles. Le bassin est soudé aux vertèbres sacrées.
L'être humain est le seul mammifère qui soit adapté exclusivement
à la locomotion bipède. Sa colonne vertébrale est donc complètement
rectiligne, en dépit d'une légère incurvation en forme de S.
Elle compte 24 vertèbres.

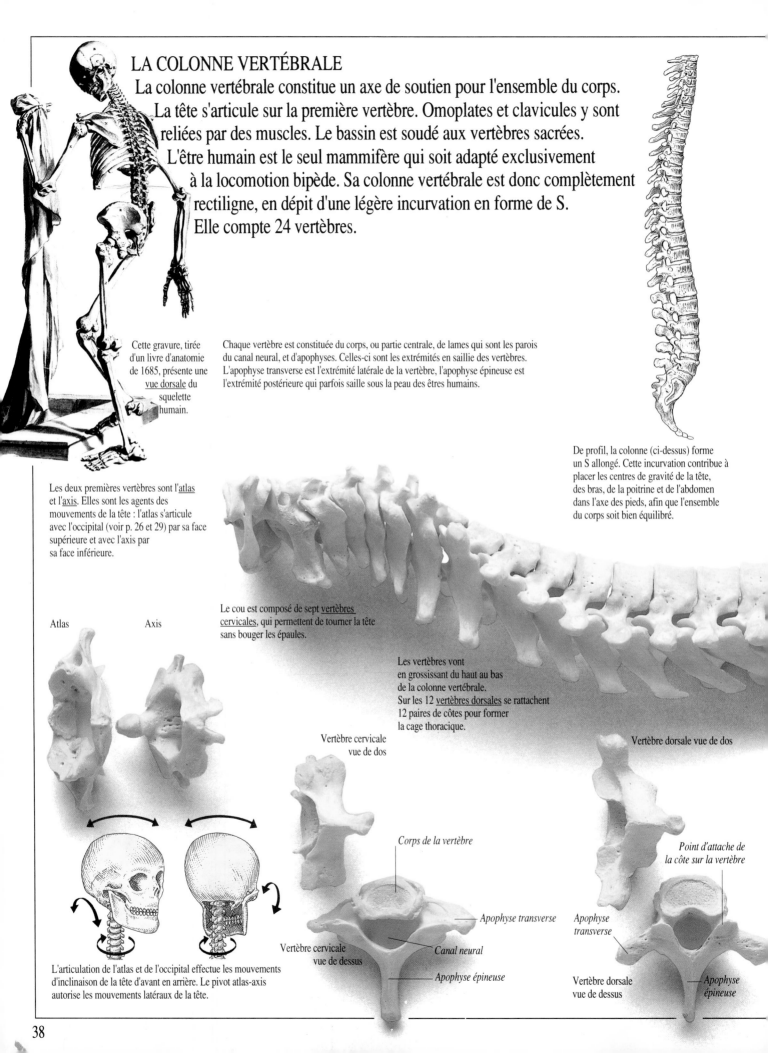

Cette gravure, tirée d'un livre d'anatomie de 1685, présente une vue dorsale du squelette humain.

Chaque vertèbre est constituée du corps, ou partie centrale, de lames qui sont les parois du canal neural, et d'apophyses. Celles-ci sont les extrémités en saillie des vertèbres. L'apophyse transverse est l'extrémité latérale de la vertèbre, l'apophyse épineuse est l'extrémité postérieure qui parfois saille sous la peau des êtres humains.

De profil, la colonne (ci-dessus) forme un S allongé. Cette incurvation contribue à placer les centres de gravité de la tête, des bras, de la poitrine et de l'abdomen dans l'axe des pieds, afin que l'ensemble du corps soit bien équilibré.

Les deux premières vertèbres sont l'atlas et l'axis. Elles sont les agents des mouvements de la tête : l'atlas s'articule avec l'occipital (voir p. 26 et 29) par sa face supérieure et avec l'axis par sa face inférieure.

Le cou est composé de sept vertèbres cervicales, qui permettent de tourner la tête sans bouger les épaules.

Les vertèbres vont en grossissant du haut au bas de la colonne vertébrale. Sur les 12 vertèbres dorsales se rattachent 12 paires de côtes pour former la cage thoracique.

Atlas

Axis

Vertèbre cervicale
vue de dos

Vertèbre dorsale vue de dos

Corps de la vertèbre

Point d'attache de la côte sur la vertèbre

Apophyse transverse

Apophyse transverse

Vertèbre cervicale
vue de dessus

Canal neural

Apophyse épineuse

Vertèbre dorsale
vue de dessus

Apophyse épineuse

L'articulation de l'atlas et de l'occipital effectue les mouvements d'inclinaison de la tête d'avant en arrière. Le pivot atlas-axis autorise les mouvements latéraux de la tête.

Le rôle de la colonne vertébrale n'est pas seulement de structurer le corps mais aussi de protéger la fragile moelle épinière qui court de la tête au bas du dos, bien à l'abri des coups et des torsions.

Cerveau

Nerfs irradiant dans le haut du corps

Moelle épinière

Nerfs irradiant dans le bas du corps

Vue frontale de la colonne vertébrale

La colonne vertébrale est très souple pendant la jeunesse. Au fil des années, les disques intervertébraux se durcissent, d'où une réduction de la flexibilité.

Moelle épinière

Canal neural

Corps vertébral

Nerfs allants et venants de la moelle épinière

Le canal neural de chaque vertèbre renferme la moelle épinière, qui assure notamment la transmission de l'influx nerveux entre le cerveau et le reste du corps.

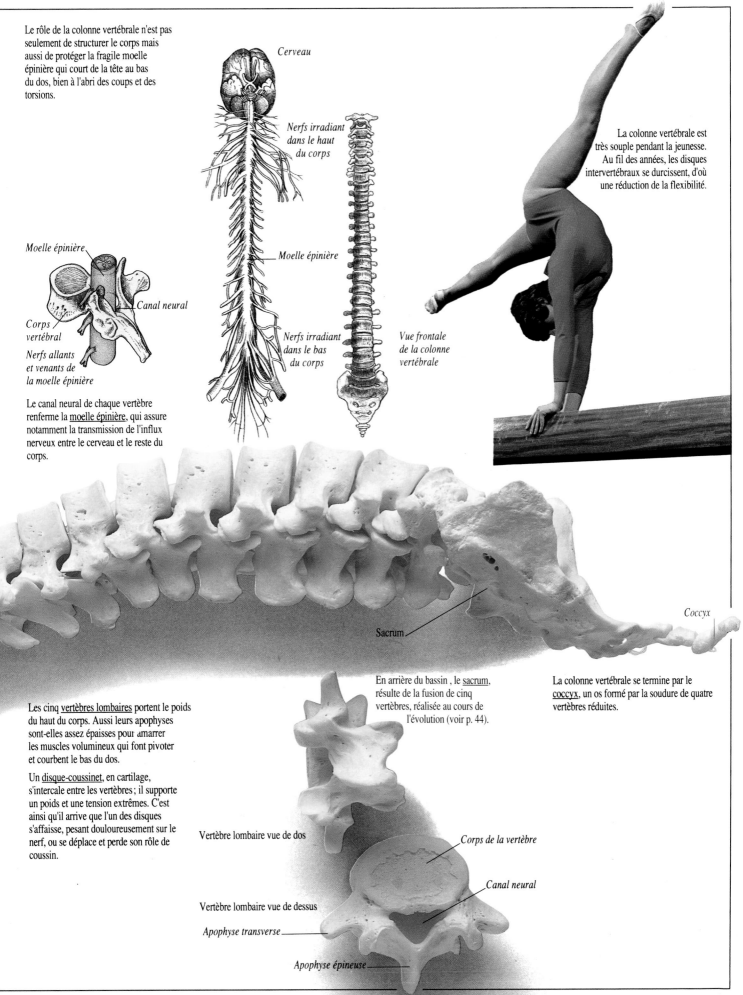

Coccyx

Sacrum

Les cinq vertèbres lombaires portent le poids du haut du corps. Aussi leurs apophyses sont-elles assez épaisses pour amarrer les muscles volumineux qui font pivoter et courbent le bas du dos.

Un disque-coussinet, en cartilage, s'intercale entre les vertèbres ; il supporte un poids et une tension extrêmes. C'est ainsi qu'il arrive que l'un des disques s'affaisse, pesant douloureusement sur le nerf, ou se déplace et perde son rôle de coussin.

En arrière du bassin, le sacrum, résulte de la fusion de cinq vertèbres, réalisée au cours de l'évolution (voir p. 44).

La colonne vertébrale se termine par le coccyx, un os formé par la soudure de quatre vertèbres réduites.

Vertèbre lombaire vue de dos

Corps de la vertèbre

Canal neural

Vertèbre lombaire vue de dessus

Apophyse transverse

Apophyse épineuse

BALEINE ET ÉCUREUIL N'ONT PAS LA MÊME COLONNE

Tous les poissons, reptiles, amphibiens, oiseaux et mammifères ont une colonne vertébrale, qui est leur caractéristique commune : ce sont des vertébrés. Elle se compose d'un chapelet de petits os reliés en une colonne plus ou moins flexible qui présente à l'une de ses extrémités le crâne, à l'autre, généralement, la queue. Toutefois, le nombre de vertèbres varie considérablement d'un animal à l'autre : 8 chez la grenouille ; plus de 400 chez certains serpents !

Makis à queue annelée

La queue du maki, en fait l'extrémité de sa colonne vertébrale, lui sert de «cinquième membre». Par la queue, il s'agrippe aux branches, ce qui lui laisse les mains libres pour se nourrir.

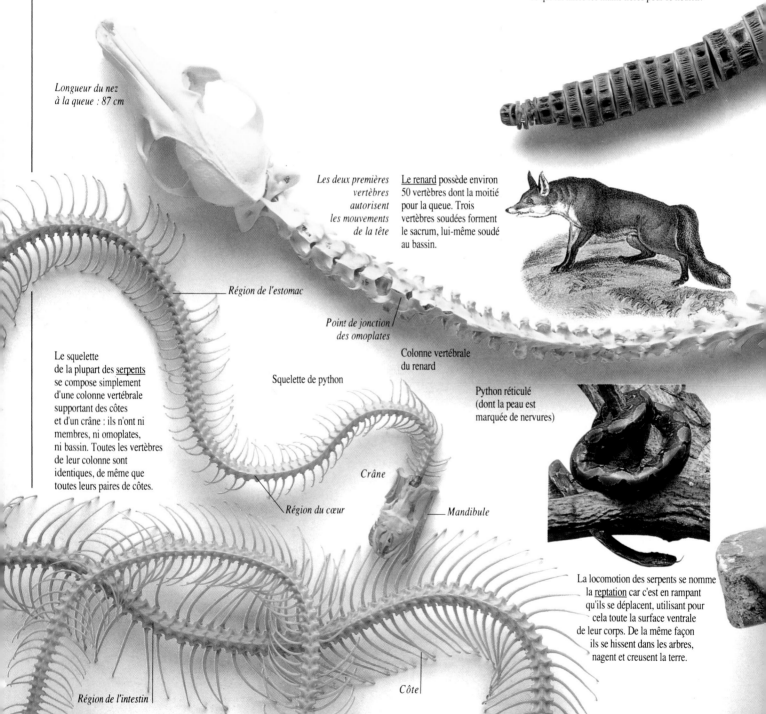

Longueur du nez à la queue : 87 cm

Les deux premières vertèbres autorisent les mouvements de la tête

Le renard possède environ 50 vertèbres dont la moitié pour la queue. Trois vertèbres soudées forment le sacrum, lui-même soudé au bassin.

Région de l'estomac

Point de jonction des omoplates

Le squelette de la plupart des serpents se compose simplement d'une colonne vertébrale supportant des côtes et d'un crâne : ils n'ont ni membres, ni omoplates, ni bassin. Toutes les vertèbres de leur colonne sont identiques, de même que toutes leurs paires de côtes.

Colonne vertébrale du renard

Squelette de python

Python réticulé (dont la peau est marquée de nervures)

Crâne

Région du cœur

Mandibule

La locomotion des serpents se nomme la reptation car c'est en rampant qu'ils se déplacent, utilisant pour cela toute la surface ventrale de leur corps. De la même façon ils se hissent dans les arbres, nagent et creusent la terre.

Région de l'intestin

Côte

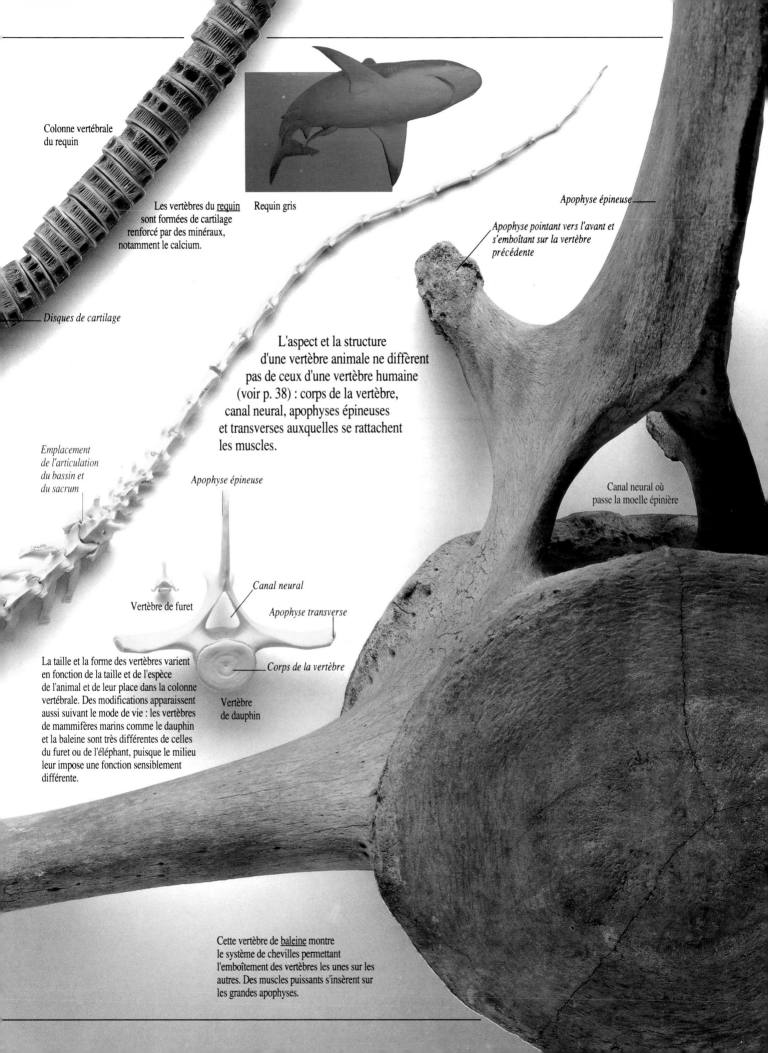

Colonne vertébrale
du requin

Les vertèbres du <u>requin</u>
sont formées de cartilage
renforcé par des minéraux,
notamment le calcium.

Requin gris

Disques de cartilage

Apophyse épineuse

*Apophyse pointant vers l'avant et
s'emboîtant sur la vertèbre
précédente*

L'aspect et la structure
d'une vertèbre animale ne diffèrent
pas de ceux d'une vertèbre humaine
(voir p. 38) : corps de la vertèbre,
canal neural, apophyses épineuses
et transverses auxquelles se rattachent
les muscles.

*Emplacement
de l'articulation
du bassin et
du sacrum*

Apophyse épineuse

Canal neural où
passe la moelle épinière

Canal neural

Apophyse transverse

Vertèbre de furet

Corps de la vertèbre

La taille et la forme des vertèbres varient
en fonction de la taille et de l'espèce
de l'animal et de leur place dans la colonne
vertébrale. Des modifications apparaissent
aussi suivant le mode de vie : les vertèbres
de mammifères marins comme le dauphin
et la baleine sont très différentes de celles
du furet ou de l'éléphant, puisque le milieu
leur impose une fonction sensiblement
différente.

Vertèbre
de dauphin

Cette vertèbre de <u>baleine</u> montre
le système de chevilles permettant
l'emboîtement des vertèbres les unes sur les
autres. Des muscles puissants s'insèrent sur
les grandes apophyses.

LE PHÉNOMÈNE
DE LA CAGE THORACIQUE

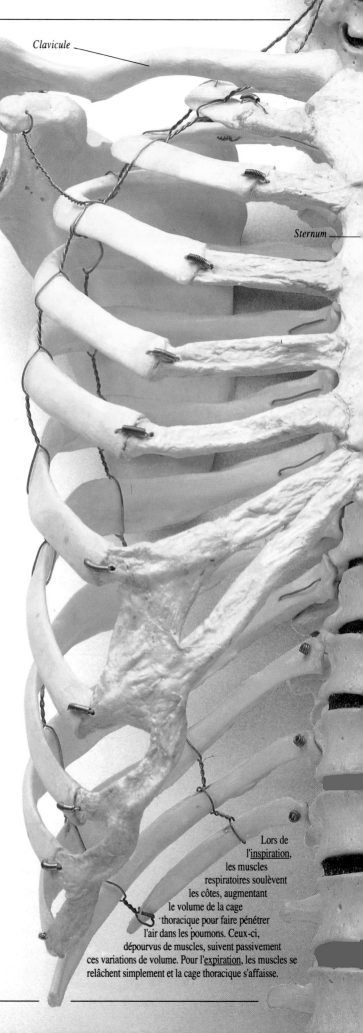

Les poumons se gonflent d'air et se vident lors de la respiration. Le volume des poumons subit donc des variations. Ils ont aussi besoin de protection. Une boîte osseuse et compacte comme le crâne serait trop rigide. En revanche, la cage thoracique, formée de ces os plats et articulés que sont les côtes, constitue un abri efficace pour le cœur et les poumons. Celles-ci sont articulées sur les vertèbres de la colonne vertébrale ; les sept premières paires sont reliées au sternum par un cartilage.

La profondeur de la cage thoracique et sa relation avec la colonne apparaît dans ce croquis de profil de Léonard de Vinci.

Les côtes protègent les organes thoraciques : poumons et cœur. Un muscle, le diaphragme, s'insère sur les dernières côtes et sépare les organes thoraciques des organes abdominaux.

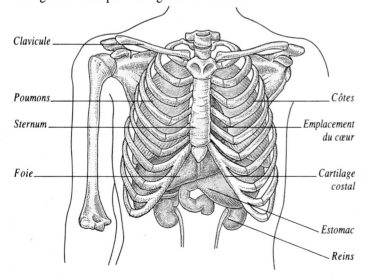

Clavicule

Poumons

Sternum

Foie

Côtes

Emplacement
du cœur

Cartilage
costal

Estomac

Reins

Clavicule

Sternum

Lors de l'inspiration, les muscles respiratoires soulèvent les côtes, augmentant le volume de la cage thoracique pour faire pénétrer l'air dans les poumons. Ceux-ci, dépourvus de muscles, suivent passivement ces variations de volume. Pour l'expiration, les muscles se relâchent simplement et la cage thoracique s'affaisse.

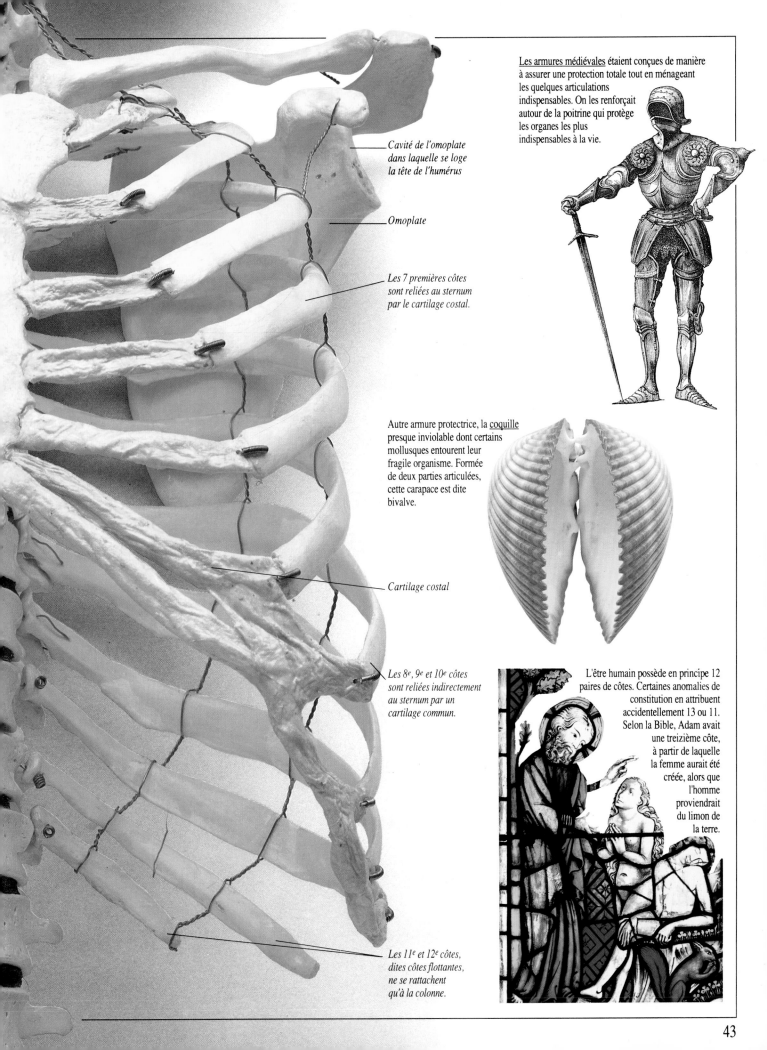

Cavité de l'omoplate
dans laquelle se loge
la tête de l'humérus

Omoplate

Les 7 premières côtes
sont reliées au sternum
par le cartilage costal.

Cartilage costal

Les 8ᵉ, 9ᵉ et 10ᵉ côtes
sont reliées indirectement
au sternum par un
cartilage commun.

Les 11ᵉ et 12ᵉ côtes,
dites côtes flottantes,
ne se rattachent
qu'à la colonne.

Les armures médiévales étaient conçues de manière
à assurer une protection totale tout en ménageant
les quelques articulations
indispensables. On les renforçait
autour de la poitrine qui protège
les organes les plus
indispensables à la vie.

Autre armure protectrice, la coquille
presque inviolable dont certains
mollusques entourent leur
fragile organisme. Formée
de deux parties articulées,
cette carapace est dite
bivalve.

L'être humain possède en principe 12
paires de côtes. Certaines anomalies de
constitution en attribuent
accidentellement 13 ou 11.
Selon la Bible, Adam avait
une treizième côte,
à partir de laquelle
la femme aurait été
créée, alors que
l'homme
proviendrait
du limon de
la terre.

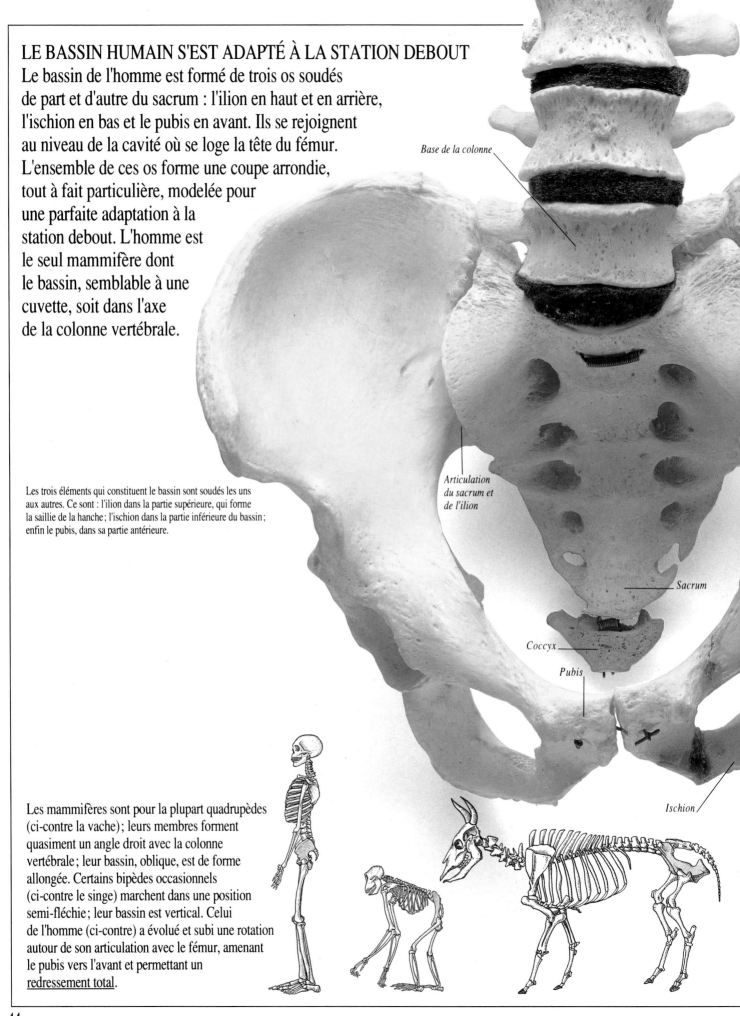

LE BASSIN HUMAIN S'EST ADAPTÉ À LA STATION DEBOUT

Le bassin de l'homme est formé de trois os soudés de part et d'autre du sacrum : l'ilion en haut et en arrière, l'ischion en bas et le pubis en avant. Ils se rejoignent au niveau de la cavité où se loge la tête du fémur. L'ensemble de ces os forme une coupe arrondie, tout à fait particulière, modelée pour une parfaite adaptation à la station debout. L'homme est le seul mammifère dont le bassin, semblable à une cuvette, soit dans l'axe de la colonne vertébrale.

Les trois éléments qui constituent le bassin sont soudés les uns aux autres. Ce sont : l'ilion dans la partie supérieure, qui forme la saillie de la hanche ; l'ischion dans la partie inférieure du bassin ; enfin le pubis, dans sa partie antérieure.

Base de la colonne

Articulation du sacrum et de l'ilion

Sacrum

Coccyx

Pubis

Ischion

Les mammifères sont pour la plupart quadrupèdes (ci-contre la vache) ; leurs membres forment quasiment un angle droit avec la colonne vertébrale ; leur bassin, oblique, est de forme allongée. Certains bipèdes occasionnels (ci-contre le singe) marchent dans une position semi-fléchie ; leur bassin est vertical. Celui de l'homme (ci-contre) a évolué et subi une rotation autour de son articulation avec le fémur, amenant le pubis vers l'avant et permettant un <u>redressement total</u>.

44

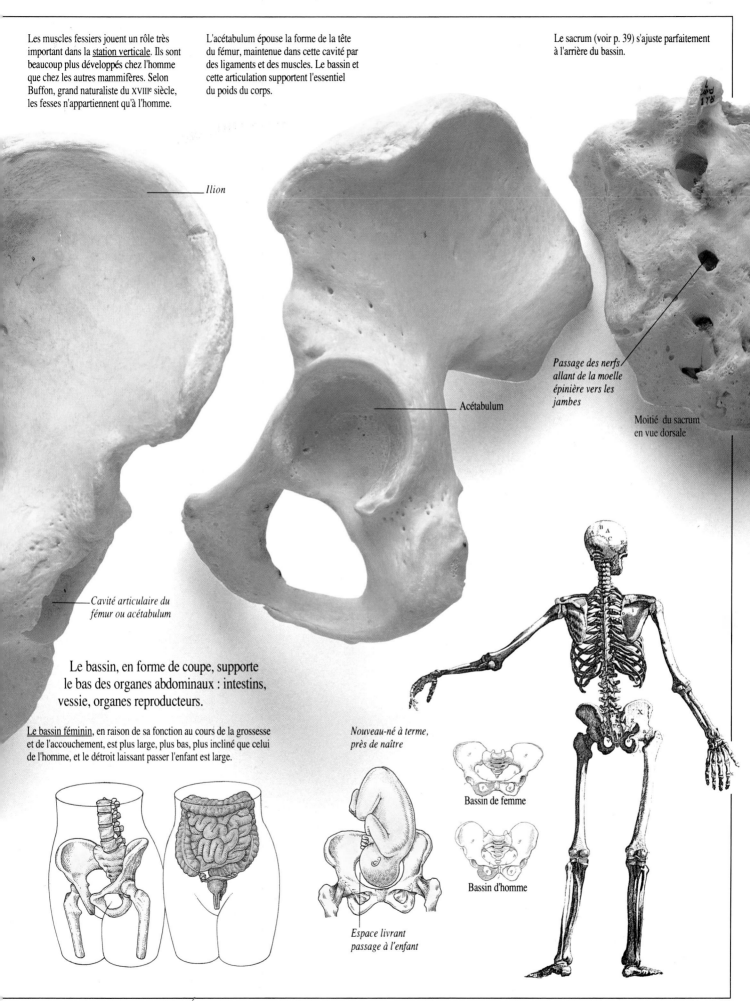

Les muscles fessiers jouent un rôle très important dans la station verticale. Ils sont beaucoup plus développés chez l'homme que chez les autres mammifères. Selon Buffon, grand naturaliste du XVIIIe siècle, les fesses n'appartiennent qu'à l'homme.

L'acétabulum épouse la forme de la tête du fémur, maintenue dans cette cavité par des ligaments et des muscles. Le bassin et cette articulation supportent l'essentiel du poids du corps.

Le sacrum (voir p. 39) s'ajuste parfaitement à l'arrière du bassin.

Ilion

Acétabulum

Passage des nerfs allant de la moelle épinière vers les jambes

Moitié du sacrum en vue dorsale

Cavité articulaire du fémur ou acétabulum

Le bassin, en forme de coupe, supporte le bas des organes abdominaux : intestins, vessie, organes reproducteurs.

Le bassin féminin, en raison de sa fonction au cours de la grossesse et de l'accouchement, est plus large, plus bas, plus incliné que celui de l'homme, et le détroit laissant passer l'enfant est large.

Nouveau-né à terme, près de naître

Bassin de femme

Bassin d'homme

Espace livrant passage à l'enfant

45

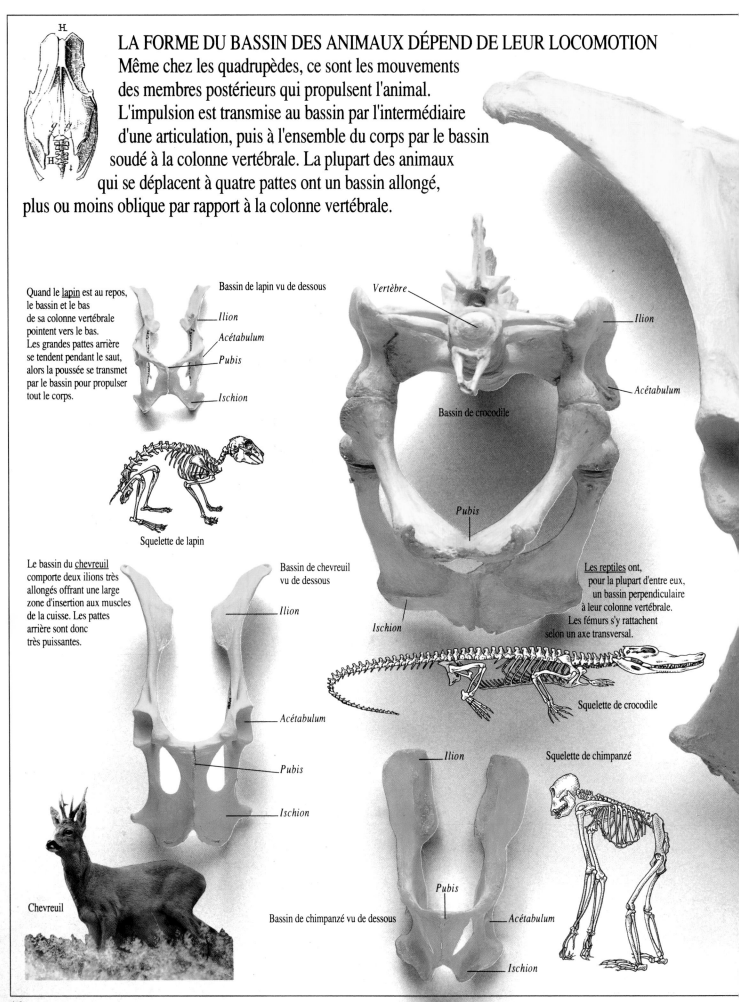

LA FORME DU BASSIN DES ANIMAUX DÉPEND DE LEUR LOCOMOTION

Même chez les quadrupèdes, ce sont les mouvements
des membres postérieurs qui propulsent l'animal.
L'impulsion est transmise au bassin par l'intermédiaire
d'une articulation, puis à l'ensemble du corps par le bassin
soudé à la colonne vertébrale. La plupart des animaux
qui se déplacent à quatre pattes ont un bassin allongé,
plus ou moins oblique par rapport à la colonne vertébrale.

Quand le lapin est au repos,
le bassin et le bas
de sa colonne vertébrale
pointent vers le bas.
Les grandes pattes arrière
se tendent pendant le saut,
alors la poussée se transmet
par le bassin pour propulser
tout le corps.

Bassin de lapin vu de dessous

Ilion

Acétabulum

Pubis

Ischion

Squelette de lapin

Vertèbre

Ilion

Acétabulum

Bassin de crocodile

Pubis

Ischion

Le bassin du chevreuil
comporte deux ilions très
allongés offrant une large
zone d'insertion aux muscles
de la cuisse. Les pattes
arrière sont donc
très puissantes.

Bassin de chevreuil
vu de dessous

Ilion

Acétabulum

Pubis

Ischion

Les reptiles ont,
pour la plupart d'entre eux,
un bassin perpendiculaire
à leur colonne vertébrale.
Les fémurs s'y rattachent
selon un axe transversal.

Squelette de crocodile

Ilion

Squelette de chimpanzé

Pubis

Acétabulum

Chevreuil

Bassin de chimpanzé vu de dessous

Ischion

46

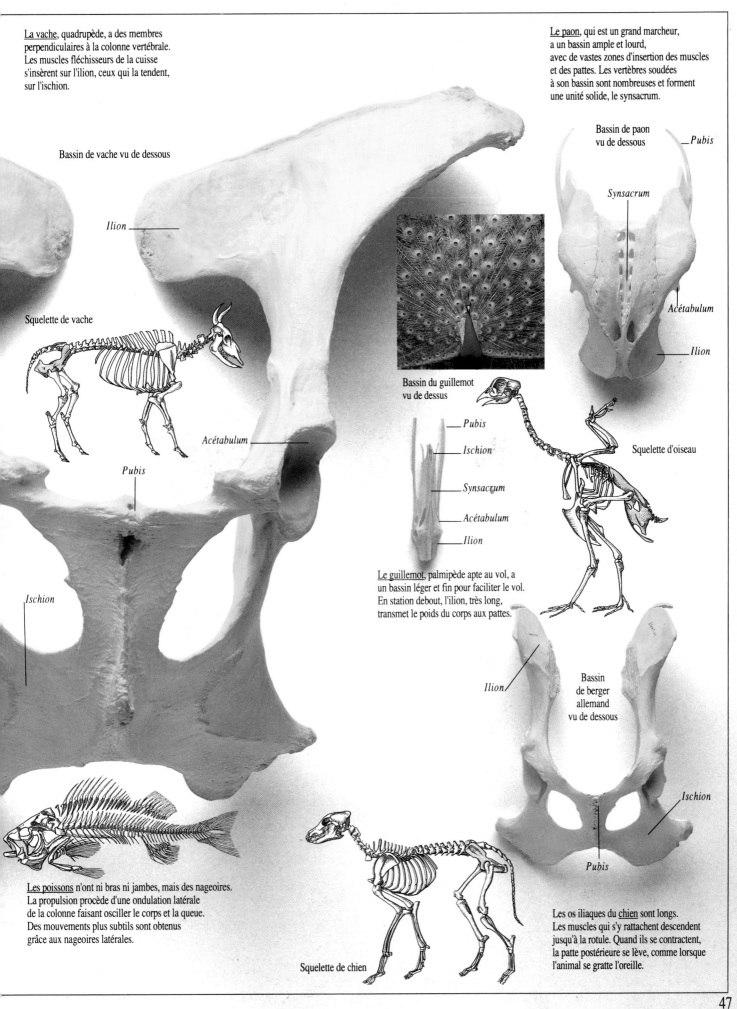

La vache, quadrupède, a des membres perpendiculaires à la colonne vertébrale. Les muscles fléchisseurs de la cuisse s'insèrent sur l'ilion, ceux qui la tendent, sur l'ischion.

Le paon, qui est un grand marcheur, a un bassin ample et lourd, avec de vastes zones d'insertion des muscles et des pattes. Les vertèbres soudées à son bassin sont nombreuses et forment une unité solide, le synsacrum.

Bassin de vache vu de dessous

Bassin de paon vu de dessous

Pubis

Synsacrum

Ilion

Acétabulum

Ilion

Squelette de vache

Bassin du guillemot vu de dessus

Acétabulum

Pubis

Pubis

Ischion

Synsacrum

Acétabulum

Ilion

Squelette d'oiseau

Le guillemot, palmipède apte au vol, a un bassin léger et fin pour faciliter le vol. En station debout, l'ilion, très long, transmet le poids du corps aux pattes.

Ischion

Ilion

Bassin de berger allemand vu de dessous

Ischion

Les poissons n'ont ni bras ni jambes, mais des nageoires. La propulsion procède d'une ondulation latérale de la colonne faisant osciller le corps et la queue. Des mouvements plus subtils sont obtenus grâce aux nageoires latérales.

Pubis

Squelette de chien

Les os iliaques du chien sont longs. Les muscles qui s'y rattachent descendent jusqu'à la rotule. Quand ils se contractent, la patte postérieure se lève, comme lorsque l'animal se gratte l'oreille.

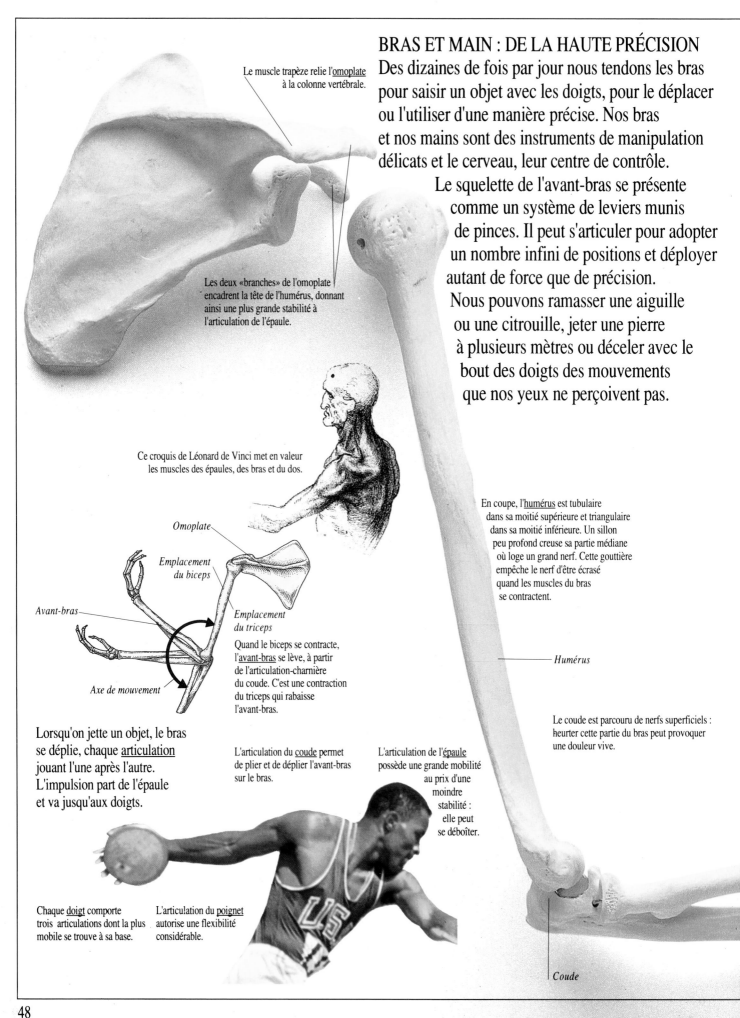

Le muscle trapèze relie l'omoplate à la colonne vertébrale.

Les deux «branches» de l'omoplate encadrent la tête de l'humérus, donnant ainsi une plus grande stabilité à l'articulation de l'épaule.

BRAS ET MAIN : DE LA HAUTE PRÉCISION

Des dizaines de fois par jour nous tendons les bras pour saisir un objet avec les doigts, pour le déplacer ou l'utiliser d'une manière précise. Nos bras et nos mains sont des instruments de manipulation délicats et le cerveau, leur centre de contrôle.

Le squelette de l'avant-bras se présente comme un système de leviers munis de pinces. Il peut s'articuler pour adopter un nombre infini de positions et déployer autant de force que de précision. Nous pouvons ramasser une aiguille ou une citrouille, jeter une pierre à plusieurs mètres ou déceler avec le bout des doigts des mouvements que nos yeux ne perçoivent pas.

Ce croquis de Léonard de Vinci met en valeur les muscles des épaules, des bras et du dos.

Omoplate

Emplacement du biceps

Avant-bras

Emplacement du triceps

Quand le biceps se contracte, l'avant-bras se lève, à partir de l'articulation-charnière du coude. C'est une contraction du triceps qui rabaisse l'avant-bras.

Axe de mouvement

En coupe, l'humérus est tubulaire dans sa moitié supérieure et triangulaire dans sa moitié inférieure. Un sillon peu profond creuse sa partie médiane où loge un grand nerf. Cette gouttière empêche le nerf d'être écrasé quand les muscles du bras se contractent.

Humérus

Lorsqu'on jette un objet, le bras se déplie, chaque articulation jouant l'une après l'autre. L'impulsion part de l'épaule et va jusqu'aux doigts.

L'articulation du coude permet de plier et de déplier l'avant-bras sur le bras.

L'articulation de l'épaule possède une grande mobilité au prix d'une moindre stabilité : elle peut se déboîter.

Le coude est parcouru de nerfs superficiels : heurter cette partie du bras peut provoquer une douleur vive.

Chaque doigt comporte trois articulations dont la plus mobile se trouve à sa base.

L'articulation du poignet autorise une flexibilité considérable.

Coude

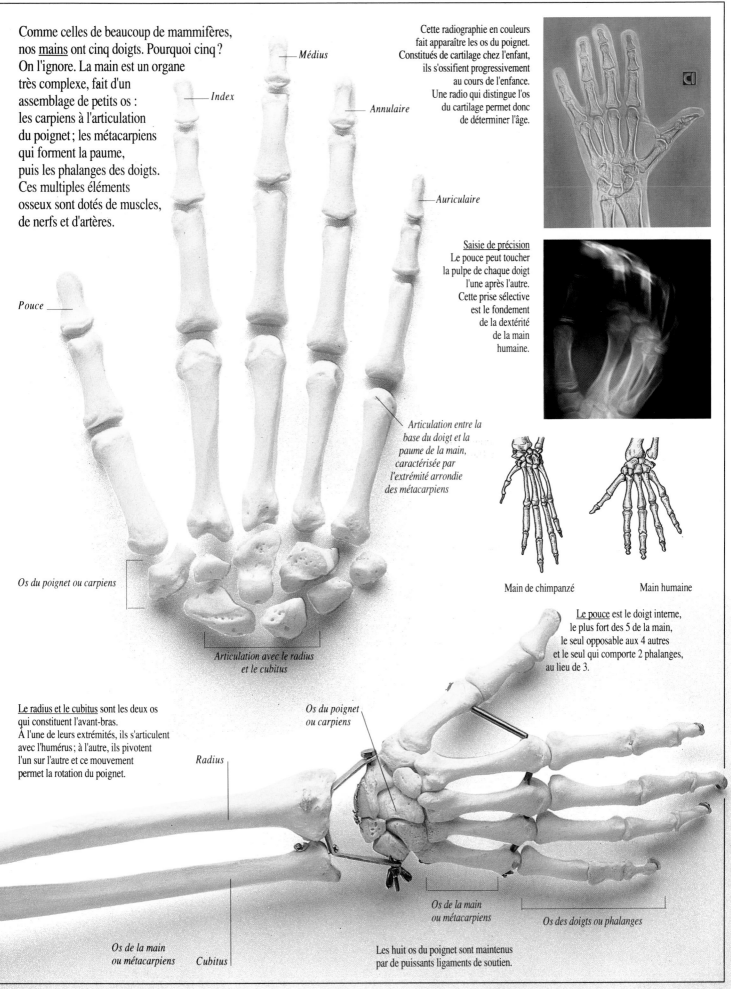

Comme celles de beaucoup de mammifères, nos <u>mains</u> ont cinq doigts. Pourquoi cinq ? On l'ignore. La main est un organe très complexe, fait d'un assemblage de petits os : les carpiens à l'articulation du poignet ; les métacarpiens qui forment la paume, puis les phalanges des doigts. Ces multiples éléments osseux sont dotés de muscles, de nerfs et d'artères.

Médius

Index

Annulaire

Auriculaire

Pouce

Cette radiographie en couleurs fait apparaître les os du poignet. Constitués de cartilage chez l'enfant, ils s'ossifient progressivement au cours de l'enfance. Une radio qui distingue l'os du cartilage permet donc de déterminer l'âge.

<u>Saisie de précision</u>
Le pouce peut toucher la pulpe de chaque doigt l'une après l'autre. Cette prise sélective est le fondement de la dextérité de la main humaine.

Articulation entre la base du doigt et la paume de la main, caractérisée par l'extrémité arrondie des métacarpiens

Main de chimpanzé   Main humaine

Os du poignet ou carpiens

Articulation avec le radius et le cubitus

<u>Le pouce</u> est le doigt interne, le plus fort des 5 de la main, et le seul opposable aux 4 autres et le seul qui comporte 2 phalanges, au lieu de 3.

<u>Le radius et le cubitus</u> sont les deux os qui constituent l'avant-bras. À l'une de leurs extrémités, ils s'articulent avec l'humérus ; à l'autre, ils pivotent l'un sur l'autre et ce mouvement permet la rotation du poignet.

Radius

Os du poignet ou carpiens

Os de la main ou métacarpiens

Os des doigts ou phalanges

Os de la main ou métacarpiens   *Cubitus*

Les huit os du poignet sont maintenus par de puissants ligaments de soutien.

LES MEMBRES ANTÉRIEURS : DES PATTES, DES AILES, DES NAGEOIRES

Les membres ont subi des évolutions très différentes selon les espèces. Chez la plupart des animaux terrestres les pattes sont destinées à la marche. Mais parfois, les membres se sont transformés en fonction du mode de vie de l'animal : leur forme, leur taille, leurs os se sont progressivement modifiés pour devenir soit des ailes, soit des nageoires, soit des sortes de crochets pour se suspendre aux branches, ou encore des pelles pour creuser le sol.

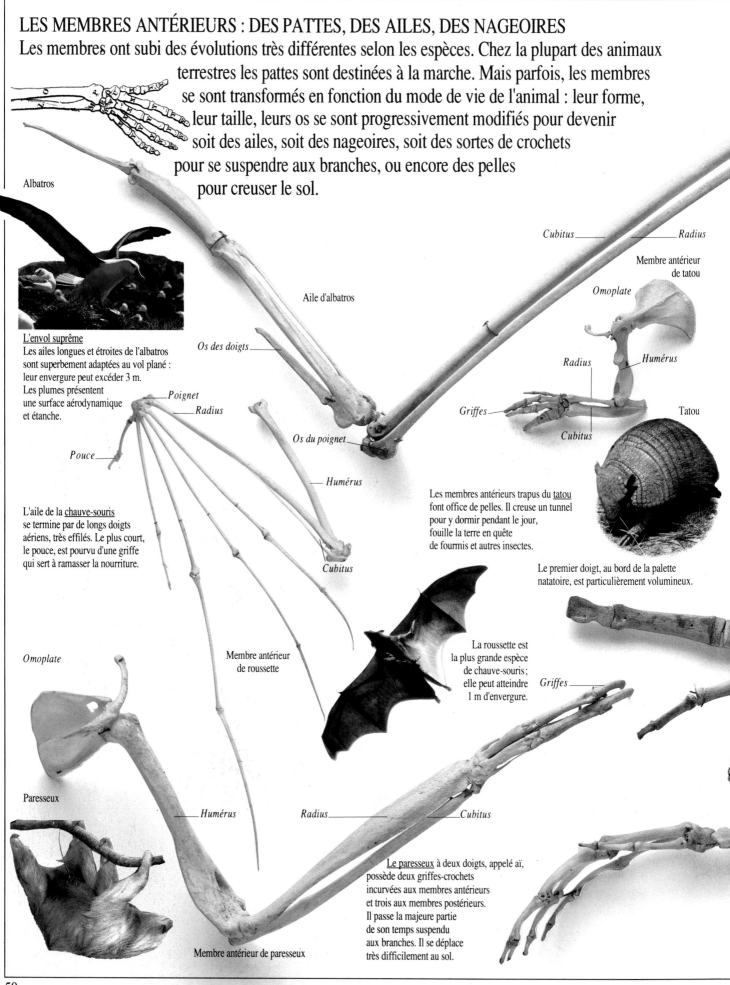

Albatros

Cubitus ___ ___ Radius

Membre antérieur de tatou

Omoplate

Aile d'albatros

Radius

Humérus

Os des doigts

Griffes

Cubitus

Tatou

L'envol suprême
Les ailes longues et étroites de l'albatros sont superbement adaptées au vol plané : leur envergure peut excéder 3 m. Les plumes présentent une surface aérodynamique et étanche.

Poignet

Radius

Os du poignet

Pouce

Humérus

Les membres antérieurs trapus du tatou font office de pelles. Il creuse un tunnel pour y dormir pendant le jour, fouille la terre en quête de fourmis et autres insectes.

L'aile de la chauve-souris
se termine par de longs doigts aériens, très effilés. Le plus court, le pouce, est pourvu d'une griffe qui sert à ramasser la nourriture.

Cubitus

Le premier doigt, au bord de la palette natatoire, est particulièrement volumineux.

Omoplate

Membre antérieur de roussette

La roussette est la plus grande espèce de chauve-souris ; elle peut atteindre 1 m d'envergure.

Griffes

Paresseux

Humérus

Radius ___ Cubitus

Le paresseux à deux doigts, appelé aï, possède deux griffes-crochets incurvées aux membres antérieurs et trois aux membres postérieurs. Il passe la majeure partie de son temps suspendu aux branches. Il se déplace très difficilement au sol.

Membre antérieur de paresseux

50

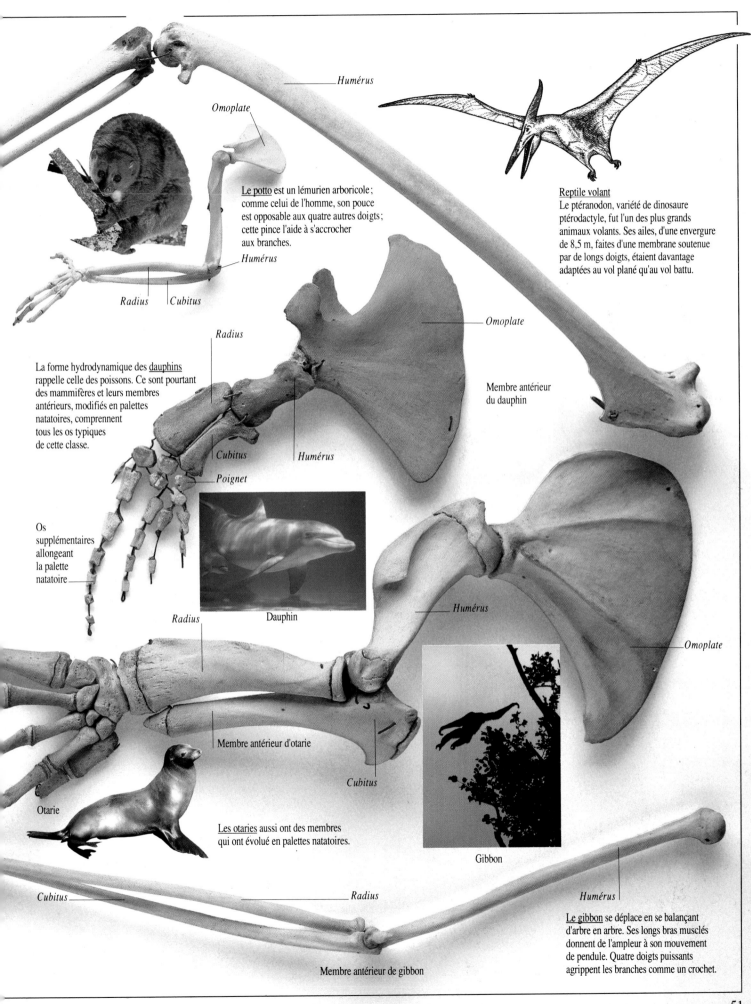

Humérus

Omoplate

Le potto est un lémurien arboricole ; comme celui de l'homme, son pouce est opposable aux quatre autres doigts ; cette pince l'aide à s'accrocher aux branches.

Humérus

Radius | *Cubitus*

Reptile volant
Le ptéranodon, variété de dinosaure ptérodactyle, fut l'un des plus grands animaux volants. Ses ailes, d'une envergure de 8,5 m, faites d'une membrane soutenue par de longs doigts, étaient davantage adaptées au vol plané qu'au vol battu.

Radius

La forme hydrodynamique des dauphins rappelle celle des poissons. Ce sont pourtant des mammifères et leurs membres antérieurs, modifiés en palettes natatoires, comprennent tous les os typiques de cette classe.

Omoplate

Membre antérieur du dauphin

Cubitus | *Humérus*

Poignet

Os supplémentaires allongeant la palette natatoire

Dauphin

Radius

Humérus

Omoplate

Membre antérieur d'otarie

Cubitus

Otarie

Les otaries aussi ont des membres qui ont évolué en palettes natatoires.

Gibbon

Cubitus —————— *Radius*

Humérus

Le gibbon se déplace en se balançant d'arbre en arbre. Ses longs bras musclés donnent de l'ampleur à son mouvement de pendule. Quatre doigts puissants agrippent les branches comme un crochet.

Membre antérieur de gibbon

L'OMOPLATE DU MAMMIFÈRE SUIT LE MOUVEMENT

À première vue, les pattes d'un quadrupède semblent toutes identiques. Mais leur squelette révèle bien des différences, qui correspondent à des fonctions variées.

Les membres postérieurs sont essentiellement destinés à propulser le corps dans la marche, la course ou le saut (voir p. 56). Les membres antérieurs peuvent avoir plusieurs fonctions : amortir le choc lors du saut, fouiller le sol, triturer nourriture ou matières, frapper proies ou ennemis. Ils doivent donc être plus agiles. C'est l'omoplate qui permet une telle variété de mouvements ; cet os triangulaire, relié au tronc par des muscles qui rejoignent la colonne vertébrale et les côtes, est aussi relié au membre supérieur par une articulation qui accroît l'amplitude des mouvements.

Renard commun

Omoplate de renard

Le renard est non seulement rapide à la course mais aussi capable de creuser des galeries souterraines profondes pour établir son terrier. Ses membres antérieurs sont donc très actifs, et ses omoplates, arrondies autant que massives.

Omoplate de cochon noir

L'omoplate longue et étroite du pécari, ou cochon noir, oscille d'avant en arrière sous l'impulsion des muscles. Les pattes sont relativement courtes et fines, la démarche raide.

Cochon

Castor

Les membres antérieurs du castor ne lui servent pas uniquement à marcher, à manier brindilles et boue pour construire des barrages, mais aussi à saisir la nourriture.

Omoplate de kangourou

Le tigre s'accroupit au bord des mares pour y boire. La colonne vertébrale s'affaisse entre ses pattes avant et les omoplates font saillie de part et d'autre.

Omoplate de castor

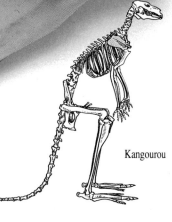

Les membres supérieurs du kangourou ne prennent pas part aux bonds prodigieux de l'animal et sont donc bien moins développés que les pattes. Ils lui servent à se battre, à jouer, à saisir de la nourriture ou à s'appuyer quand il broute.

Kangourou

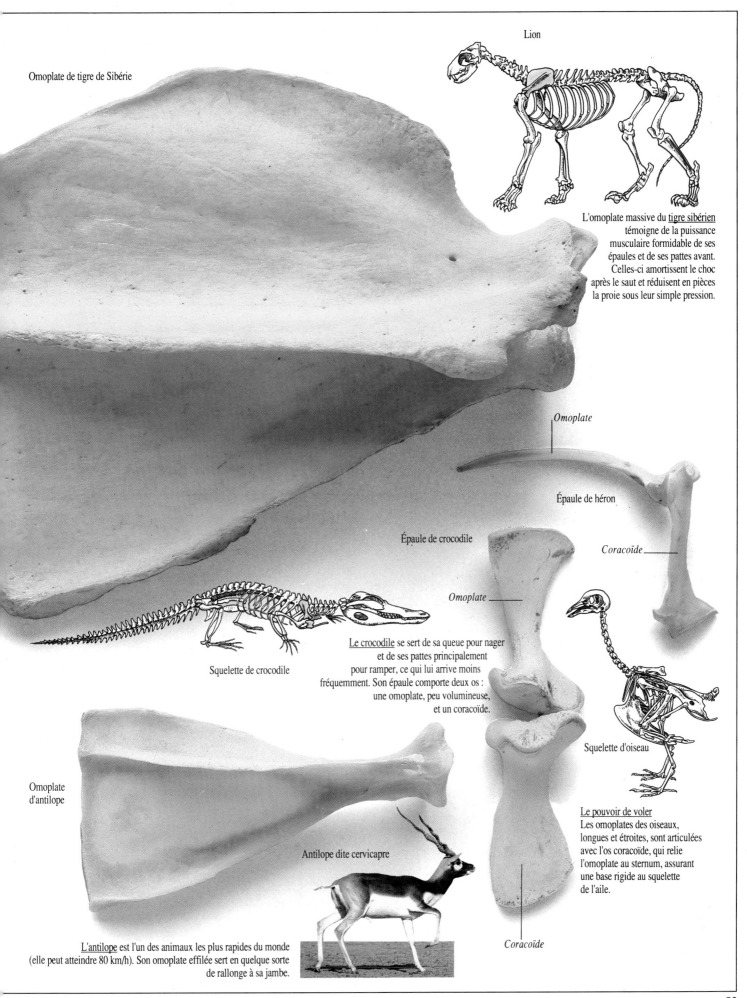

Omoplate de tigre de Sibérie

Lion

L'omoplate massive du <u>tigre sibérien</u> témoigne de la puissance musculaire formidable de ses épaules et de ses pattes avant. Celles-ci amortissent le choc après le saut et réduisent en pièces la proie sous leur simple pression.

Omoplate

Épaule de héron

Épaule de crocodile

Coracoïde

Omoplate

<u>Le crocodile</u> se sert de sa queue pour nager et de ses pattes principalement pour ramper, ce qui lui arrive moins fréquemment. Son épaule comporte deux os : une omoplate, peu volumineuse, et un coracoïde.

Squelette de crocodile

Squelette d'oiseau

Omoplate d'antilope

Antilope dite cervicapre

Le pouvoir de voler
Les omoplates des oiseaux, longues et étroites, sont articulées avec l'os coracoïde, qui relie l'omoplate au sternum, assurant une base rigide au squelette de l'aile.

<u>L'antilope</u> est l'un des animaux les plus rapides du monde (elle peut atteindre 80 km/h). Son omoplate effilée sert en quelque sorte de rallonge à sa jambe.

Coracoïde

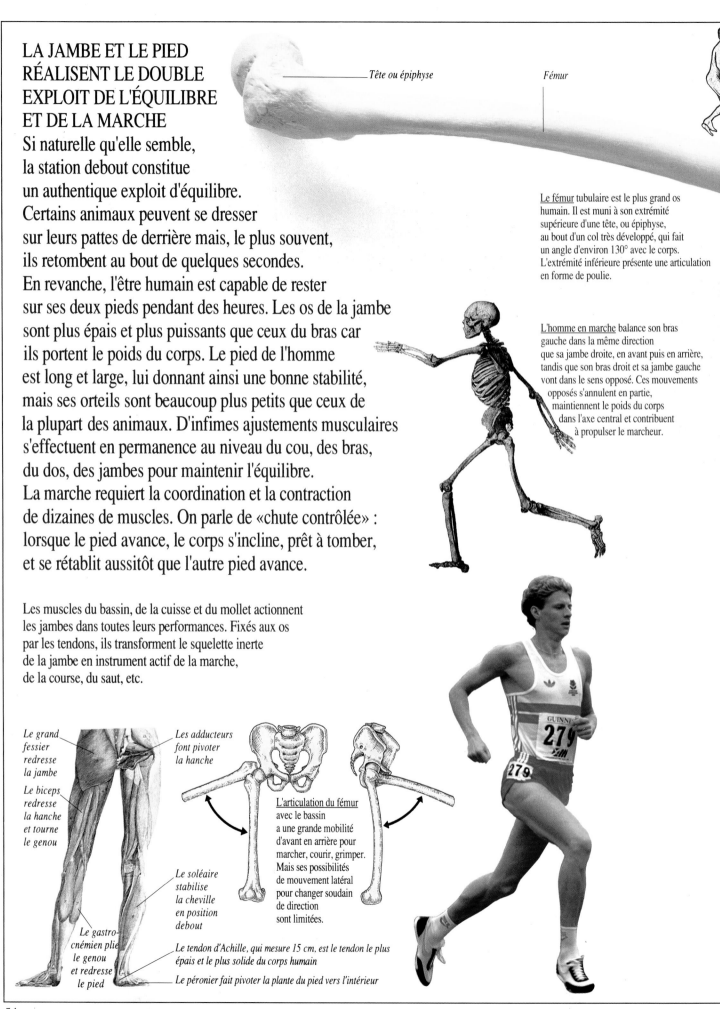

LA JAMBE ET LE PIED RÉALISENT LE DOUBLE EXPLOIT DE L'ÉQUILIBRE ET DE LA MARCHE

Si naturelle qu'elle semble,
la station debout constitue
un authentique exploit d'équilibre.
Certains animaux peuvent se dresser
sur leurs pattes de derrière mais, le plus souvent,
ils retombent au bout de quelques secondes.
En revanche, l'être humain est capable de rester
sur ses deux pieds pendant des heures. Les os de la jambe
sont plus épais et plus puissants que ceux du bras car
ils portent le poids du corps. Le pied de l'homme
est long et large, lui donnant ainsi une bonne stabilité,
mais ses orteils sont beaucoup plus petits que ceux de
la plupart des animaux. D'infimes ajustements musculaires
s'effectuent en permanence au niveau du cou, des bras,
du dos, des jambes pour maintenir l'équilibre.
La marche requiert la coordination et la contraction
de dizaines de muscles. On parle de «chute contrôlée» :
lorsque le pied avance, le corps s'incline, prêt à tomber,
et se rétablit aussitôt que l'autre pied avance.

Les muscles du bassin, de la cuisse et du mollet actionnent
les jambes dans toutes leurs performances. Fixés aux os
par les tendons, ils transforment le squelette inerte
de la jambe en instrument actif de la marche,
de la course, du saut, etc.

_____ Tête ou épiphyse   Fémur

Le fémur tubulaire est le plus grand os
humain. Il est muni à son extrémité
supérieure d'une tête, ou épiphyse,
au bout d'un col très développé, qui fait
un angle d'environ 130° avec le corps.
L'extrémité inférieure présente une articulation
en forme de poulie.

L'homme en marche balance son bras
gauche dans la même direction
que sa jambe droite, en avant puis en arrière,
tandis que son bras droit et sa jambe gauche
vont dans le sens opposé. Ces mouvements
opposés s'annulent en partie,
maintiennent le poids du corps
dans l'axe central et contribuent
à propulser le marcheur.

Le grand
fessier
redresse
la jambe

Le biceps
redresse
la hanche
et tourne
le genou

Le gastro-
cnémien plie
le genou
et redresse
le pied

Les adducteurs
font pivoter
la hanche

Le soléaire
stabilise
la cheville
en position
debout

L'articulation du fémur
avec le bassin
a une grande mobilité
d'avant en arrière pour
marcher, courir, grimper.
Mais ses possibilités
de mouvement latéral
pour changer soudain
de direction
sont limitées.

Le tendon d'Achille, qui mesure 15 cm, est le tendon le plus
épais et le plus solide du corps humain

Le péronier fait pivoter la plante du pied vers l'intérieur

279
279
GUINNE

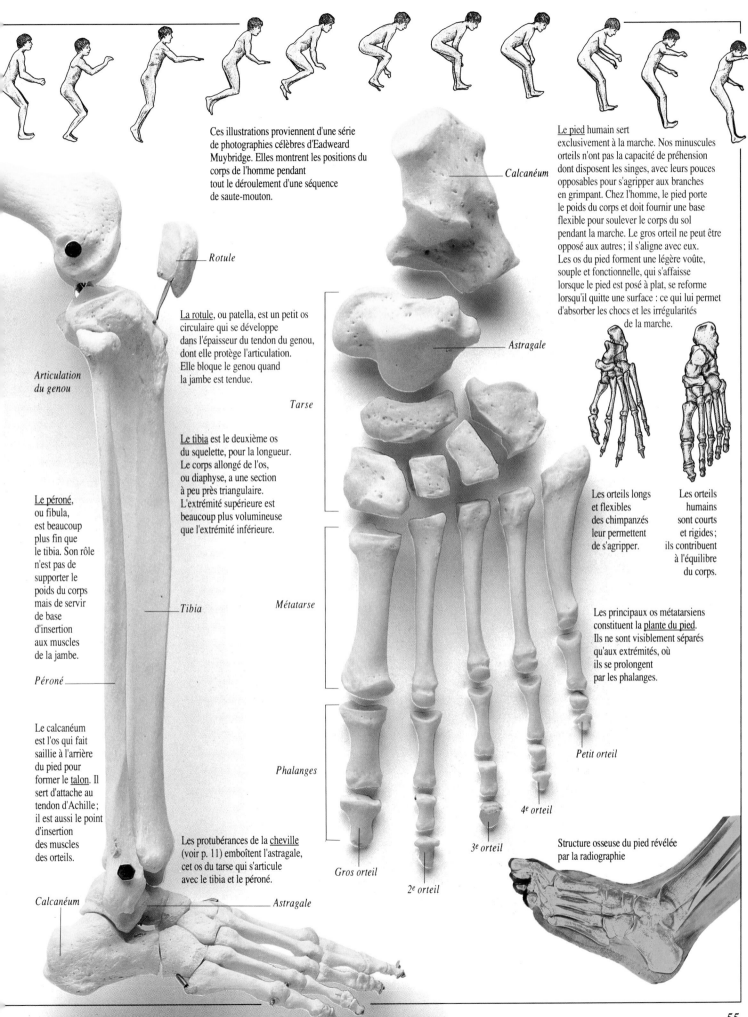

Ces illustrations proviennent d'une série de photographies célèbres d'Eadweard Muybridge. Elles montrent les positions du corps de l'homme pendant tout le déroulement d'une séquence de saute-mouton.

Calcanéum

Rotule

La rotule, ou patella, est un petit os circulaire qui se développe dans l'épaisseur du tendon du genou, dont elle protège l'articulation. Elle bloque le genou quand la jambe est tendue.

Articulation du genou

Tarse

Astragale

Le tibia est le deuxième os du squelette, pour la longueur. Le corps allongé de l'os, ou diaphyse, a une section à peu près triangulaire. L'extrémité supérieure est beaucoup plus volumineuse que l'extrémité inférieure.

Le péroné, ou fibula, est beaucoup plus fin que le tibia. Son rôle n'est pas de supporter le poids du corps mais de servir de base d'insertion aux muscles de la jambe.

Péroné

Le calcanéum est l'os qui fait saillie à l'arrière du pied pour former le talon. Il sert d'attache au tendon d'Achille; il est aussi le point d'insertion des muscles des orteils.

Tibia

Métatarse

Phalanges

Les protubérances de la cheville (voir p. 11) emboîtent l'astragale, cet os du tarse qui s'articule avec le tibia et le péroné.

Calcanéum

Astragale

Gros orteil

2e orteil

3e orteil

4e orteil

Petit orteil

Le pied humain sert exclusivement à la marche. Nos minuscules orteils n'ont pas la capacité de préhension dont disposent les singes, avec leurs pouces opposables pour s'agripper aux branches en grimpant. Chez l'homme, le pied porte le poids du corps et doit fournir une base flexible pour soulever le corps du sol pendant la marche. Le gros orteil ne peut être opposé aux autres; il s'aligne avec eux. Les os du pied forment une légère voûte, souple et fonctionnelle, qui s'affaisse lorsque le pied est posé à plat, se reforme lorsqu'il quitte une surface : ce qui lui permet d'absorber les chocs et les irrégularités de la marche.

Les orteils longs et flexibles des chimpanzés leur permettent de s'agripper.

Les orteils humains sont courts et rigides ; ils contribuent à l'équilibre du corps.

Les principaux os métatarsiens constituent la plante du pied. Ils ne sont visiblement séparés qu'aux extrémités, où ils se prolongent par les phalanges.

Structure osseuse du pied révélée par la radiographie

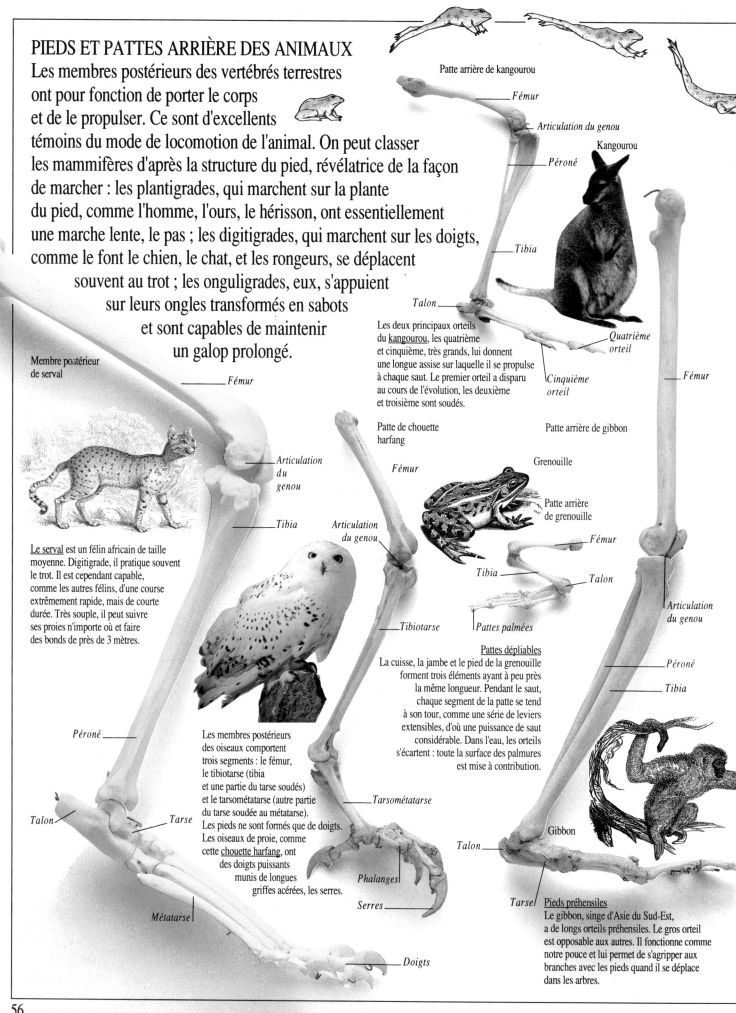

PIEDS ET PATTES ARRIÈRE DES ANIMAUX

Les membres postérieurs des vertébrés terrestres
ont pour fonction de porter le corps
et de le propulser. Ce sont d'excellents
témoins du mode de locomotion de l'animal. On peut classer
les mammifères d'après la structure du pied, révélatrice de la façon
de marcher : les plantigrades, qui marchent sur la plante
du pied, comme l'homme, l'ours, le hérisson, ont essentiellement
une marche lente, le pas ; les digitigrades, qui marchent sur les doigts,
comme le font le chien, le chat, et les rongeurs, se déplacent
souvent au trot ; les onguligrades, eux, s'appuient
sur leurs ongles transformés en sabots
et sont capables de maintenir
un galop prolongé.

Patte arrière de kangourou

Fémur

Articulation du genou

Kangourou

Péroné

Tibia

Talon

Les deux principaux orteils
du kangourou, les quatrième
et cinquième, très grands, lui donnent
une longue assise sur laquelle il se propulse
à chaque saut. Le premier orteil a disparu
au cours de l'évolution, les deuxième
et troisième sont soudés.

Quatrième
orteil

Cinquième
orteil

Fémur

Membre postérieur
de serval

Fémur

Articulation
du
genou

Tibia

Le serval est un félin africain de taille
moyenne. Digitigrade, il pratique souvent
le trot. Il est cependant capable,
comme les autres félins, d'une course
extrêmement rapide, mais de courte
durée. Très souple, il peut suivre
ses proies n'importe où et faire
des bonds de près de 3 mètres.

Patte de chouette
harfang

Patte arrière de gibbon

Fémur

Grenouille

Articulation
du genou

Patte arrière
de grenouille

Fémur

Tibia

Talon

Articulation
du genou

Tibiotarse

Pattes palmées

Pattes dépliables
La cuisse, la jambe et le pied de la grenouille
forment trois éléments ayant à peu près
la même longueur. Pendant le saut,
chaque segment de la patte se tend
à son tour, comme une série de leviers
extensibles, d'où une puissance de saut
considérable. Dans l'eau, les orteils
s'écartent : toute la surface des palmures
est mise à contribution.

Péroné

Tibia

Péroné

Les membres postérieurs
des oiseaux comportent
trois segments : le fémur,
le tibiotarse (tibia
et une partie du tarse soudés)
et le tarsométatarse (autre partie
du tarse soudée au métatarse).
Les pieds ne sont formés que de doigts.
Les oiseaux de proie, comme
cette chouette harfang, ont
des doigts puissants
munis de longues
griffes acérées, les serres.

Tarsométatarse

Talon

Gibbon

Talon

Tarse

Phalanges

Serres

Métatarse

Pieds préhensiles
Le gibbon, singe d'Asie du Sud-Est,
a de longs orteils préhensiles. Le gros orteil
est opposable aux autres. Il fonctionne comme
notre pouce et lui permet de s'agripper aux
branches avec les pieds quand il se déplace
dans les arbres.

Doigts

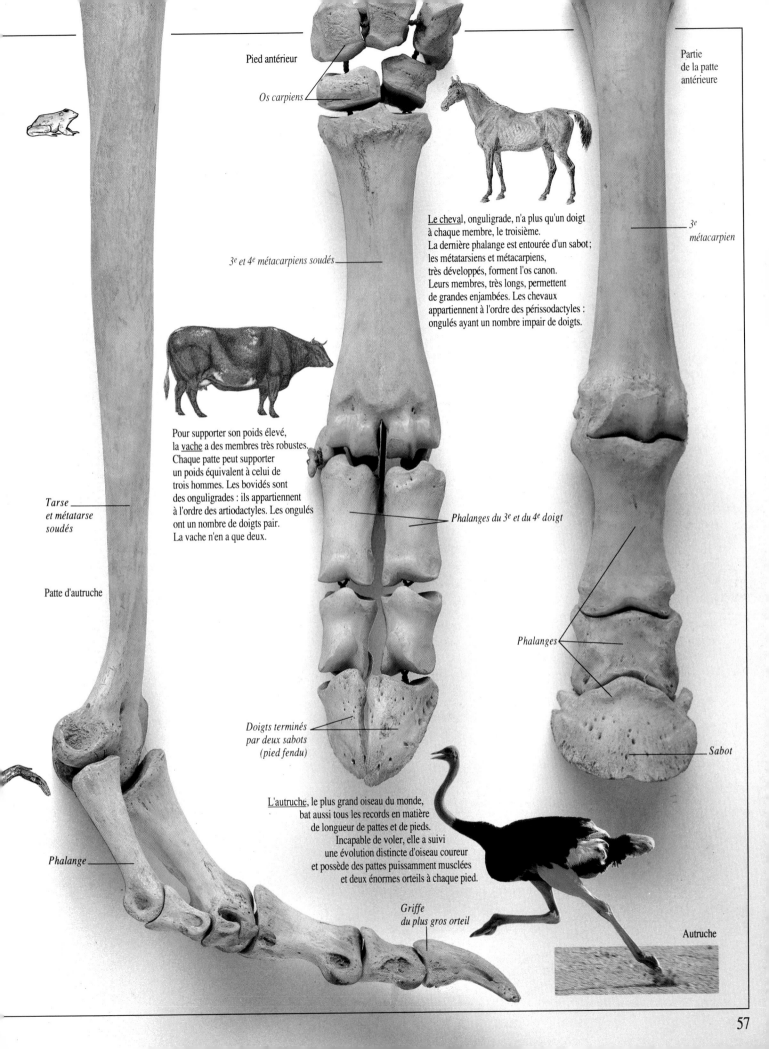

Pied antérieur

Os carpiens

Partie
de la patte
antérieure

*3e
métacarpien*

Le cheval, onguligrade, n'a plus qu'un doigt
à chaque membre, le troisième.
La dernière phalange est entourée d'un sabot ;
les métatarsiens et métacarpiens,
très développés, forment l'os canon.
Leurs membres, très longs, permettent
de grandes enjambées. Les chevaux
appartiennent à l'ordre des périssodactyles :
ongulés ayant un nombre impair de doigts.

3e et 4e métacarpiens soudés

Pour supporter son poids élevé,
la vache a des membres très robustes.
Chaque patte peut supporter
un poids équivalent à celui de
trois hommes. Les bovidés sont
des onguligrades : ils appartiennent
à l'ordre des artiodactyles. Les ongulés
ont un nombre de doigts pair.
La vache n'en a que deux.

Phalanges du 3e et du 4e doigt

*Tarse
et métatarse
soudés*

Patte d'autruche

Phalanges

*Doigts terminés
par deux sabots
(pied fendu)*

Phalange

Sabot

L'autruche, le plus grand oiseau du monde,
bat aussi tous les records en matière
de longueur de pattes et de pieds.
Incapable de voler, elle a suivi
une évolution distincte d'oiseau coureur
et possède des pattes puissamment musclées
et deux énormes orteils à chaque pied.

*Griffe
du plus gros orteil*

Autruche

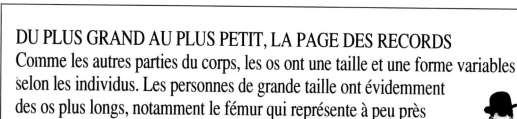

DU PLUS GRAND AU PLUS PETIT, LA PAGE DES RECORDS

Comme les autres parties du corps, les os ont une taille et une forme variables selon les individus. Les personnes de grande taille ont évidemment des os plus longs, notamment le fémur qui représente à peu près le quart de notre stature. Ces différences demeurent assez infimes même si l'homme est en général plus grand que la femme. Toutefois certaines carences, d'origine héréditaire entre autres, peuvent affecter le développement du fœtus et, par la suite, la croissance osseuse qui, pendant l'enfance, est étroitement liée à la sécrétion hormonale. C'est durant ces années en particulier que les maladies ou une alimentation médiocre peuvent affecter le développement du squelette.

Squelette fossile
d'iguanodon reconstitué

<u>Les dinosaures</u>, qui furent
les plus grands animaux terrestres,
avaient des os gigantesques.
Le fémur de cet iguanodon
(voir p. 12) mesure 1,30 m de long.
Les os des membres antérieurs
de certains dinosaures mesuraient
près de 3 m !

Le gigantisme est causé par un trouble hormonal qui fait grandir exagérément les os. L'homme le plus grand du monde fut un Américain de 2,70 m, Robert Wadlow. Ci-dessus figure un autre Américain célèbre, le géant Hugo, qui dépasse 2,50 m.

Les êtres les plus petits mesurent entre 60 et 70 cm. Le nanisme est une infirmité d'origine génétique ou endocrinienne. L'un des nains les plus connus, Charles Stratton (Général Tom Pouce), pose ici avec son épouse, naine elle aussi ; il mesurait 1,20 m.

Cette sélection de dix <u>fémurs</u> montre les énormes différences de taille parmi les mammifères.
En général, les animaux rapides ont des pattes longues et fines par rapport à leur corps.
Les fémurs de phoque sont un cas particulier puisque les membres postérieurs,
transformés en palettes natatoires, ne servent que pour la nage.

<u>Mouton</u>
Longueur
du corps : 1,40 m
Longueur
du fémur : 18 cm

<u>Lapin</u>
Longueur du corps : 30 cm
Longueur du fémur : 8 cm

<u>Hérisson</u>
Longueur
du corps : 20 cm
Longueur
du fémur : 4 cm

<u>Phoque</u>
Longueur
du corps : 1,60 m
Longueur
du fémur : 11 cm

<u>Chien</u> (<u>basset</u>)
Longueur
du corps : 70 cm
Longueur
du fémur : 11 cm

<u>Chat</u>
Longueur
du corps : 50 cm
Longueur
du fémur : 12 cm

<u>Chevreuil</u>
Longueur
du corps : 1 m
Longueur
du fémur : 18 cm

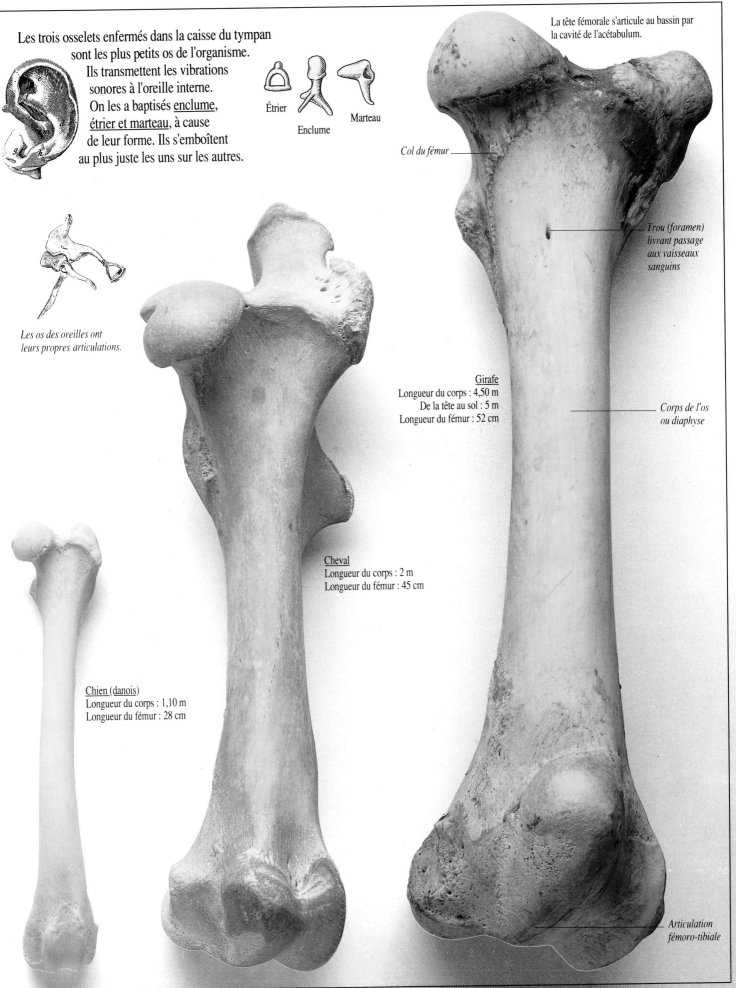

Les trois osselets enfermés dans la caisse du tympan sont les plus petits os de l'organisme. Ils transmettent les vibrations sonores à l'oreille interne. On les a baptisés <u>enclume</u>, <u>étrier et marteau</u>, à cause de leur forme. Ils s'emboîtent au plus juste les uns sur les autres.

Étrier

Enclume

Marteau

Les os des oreilles ont leurs propres articulations.

La tête fémorale s'articule au bassin par la cavité de l'acétabulum.

Col du fémur

Trou (foramen) livrant passage aux vaisseaux sanguins

<u>Girafe</u>
Longueur du corps : 4,50 m
De la tête au sol : 5 m
Longueur du fémur : 52 cm

Corps de l'os ou diaphyse

<u>Cheval</u>
Longueur du corps : 2 m
Longueur du fémur : 45 cm

<u>Chien</u> (<u>danois</u>)
Longueur du corps : 1,10 m
Longueur du fémur : 28 cm

Articulation fémoro-tibiale

ENTRONS ENFIN DANS L'INTIMITÉ D'UN TISSU VIVANT ACTIF : L'OS

Les os vivants n'ont ni la pâleur, ni l'aspect sec et cassant qu'on leur voit dans les vitrines des musées. Au sein de l'organisme, l'os est un tissu vivant actif. L'eau entre pour un tiers dans sa composition. Il est irrigué par des vaisseaux sanguins qui lui apportent oxygène et substances nutritives, et assurent l'évacuation des déchets. Certains os contiennent de la moelle, productrice de globules rouges. Ils ont des nerfs qui «ressentent» pression et douleur. L'os est aussi une réserve de sels minéraux, notamment de calcium, ce qui lui confère dureté et rigidité. Ainsi peut-il céder à d'autres parties de l'organisme les minéraux dont elles manquent. Divers types de cellules fabriquent et nourrissent le tissu osseux. En dépit des divers traumatismes et déformations qu'il lui arrive de subir, fractures, scolioses, l'os se reconstitue et se reforme tout au long de la vie.

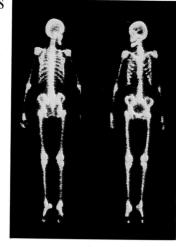

Outre les rayons X, il existe de nombreuses façons d'observer les os vivants : grâce à un cristal scintillant, le scintigramme détecte la concentration d'un isotope radioactif injecté dans l'organisme et absorbé par le tissu osseux.

Les éléments radioactifs se concentrent dans l'os; c'est ainsi que l'on découvre leur répartition dans le squelette.

La plupart des os comportent une <u>coquille externe</u> de tissu compact, dur, solide. Tendons, ligaments et autres composants se rattachent à cette coquille rigide par le biais du périoste. À l'intérieur, on trouve de l'os spongieux, plus léger, et de la moelle.

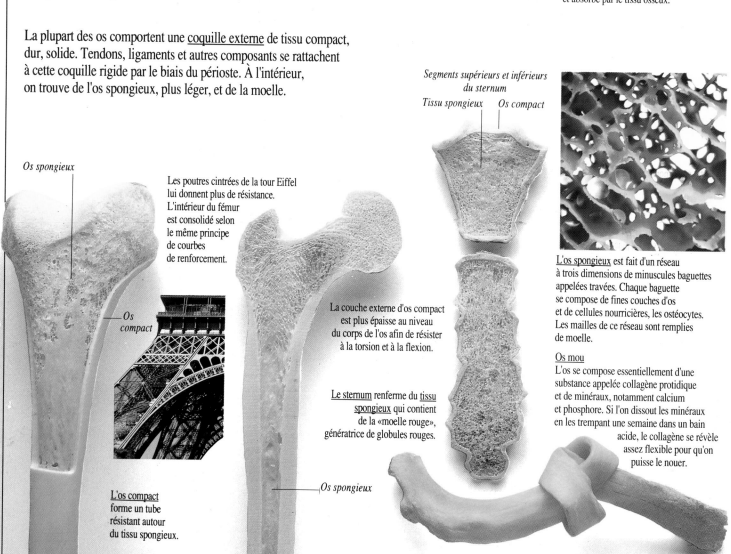

Os spongieux

Les poutres cintrées de la tour Eiffel lui donnent plus de résistance. L'intérieur du fémur est consolidé selon le même principe de courbes de renforcement.

Os compact

La couche externe d'os compact est plus épaisse au niveau du corps de l'os afin de résister à la torsion et à la flexion.

Le <u>sternum</u> renferme du <u>tissu spongieux</u> qui contient de la «moelle rouge», génératrice de globules rouges.

<u>L'os compact</u> forme un tube résistant autour du tissu spongieux.

Os spongieux

Segments supérieurs et inférieurs du sternum

Tissu spongieux   *Os compact*

<u>L'os spongieux</u> est fait d'un réseau à trois dimensions de minuscules baguettes appelées travées. Chaque baguette se compose de fines couches d'os et de cellules nourricières, les ostéocytes. Les mailles de ce réseau sont remplies de moelle.

<u>Os mou</u>
L'os se compose essentiellement d'une substance appelée collagène protidique et de minéraux, notamment calcium et phosphore. Si l'on dissout les minéraux en les trempant une semaine dans un bain acide, le collagène se révèle assez flexible pour qu'on puisse le nouer.

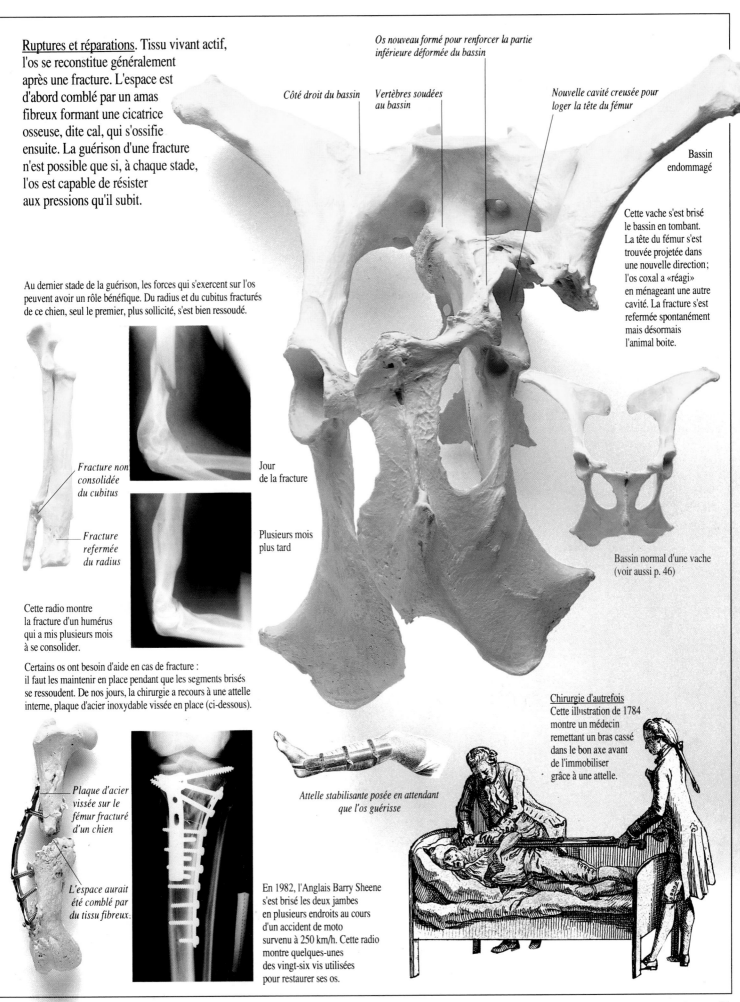

Ruptures et réparations. Tissu vivant actif, l'os se reconstitue généralement après une fracture. L'espace est d'abord comblé par un amas fibreux formant une cicatrice osseuse, dite cal, qui s'ossifie ensuite. La guérison d'une fracture n'est possible que si, à chaque stade, l'os est capable de résister aux pressions qu'il subit.

Os nouveau formé pour renforcer la partie inférieure déformée du bassin

Côté droit du bassin

Vertèbres soudées au bassin

Nouvelle cavité creusée pour loger la tête du fémur

Bassin endommagé

Cette vache s'est brisé le bassin en tombant. La tête du fémur s'est trouvée projetée dans une nouvelle direction ; l'os coxal a «réagi» en ménageant une autre cavité. La fracture s'est refermée spontanément mais désormais l'animal boite.

Au dernier stade de la guérison, les forces qui s'exercent sur l'os peuvent avoir un rôle bénéfique. Du radius et du cubitus fracturés de ce chien, seul le premier, plus sollicité, s'est bien ressoudé.

Fracture non consolidée du cubitus

Fracture refermée du radius

Jour de la fracture

Plusieurs mois plus tard

Bassin normal d'une vache (voir aussi p. 46)

Cette radio montre la fracture d'un humérus qui a mis plusieurs mois à se consolider.

Certains os ont besoin d'aide en cas de fracture : il faut les maintenir en place pendant que les segments brisés se ressoudent. De nos jours, la chirurgie a recours à une attelle interne, plaque d'acier inoxydable vissée en place (ci-dessous).

Plaque d'acier vissée sur le fémur fracturé d'un chien

L'espace aurait été comblé par du tissu fibreux.

Attelle stabilisante posée en attendant que l'os guérisse

En 1982, l'Anglais Barry Sheene s'est brisé les deux jambes en plusieurs endroits au cours d'un accident de moto survenu à 250 km/h. Cette radio montre quelques-unes des vingt-six vis utilisées pour restaurer ses os.

Chirurgie d'autrefois
Cette illustration de 1784 montre un médecin remettant un bras cassé dans le bon axe avant de l'immobiliser grâce à une attelle.

LE NOM DES OS HUMAINS

Tous les os du corps humain sont désignés par un nom. Médecins et spécialistes utilisent des termes souvent dérivés du latin ou du grec, nécessaires à la précision scientifique. Mais dans le langage courant nous parlons des os en des termes plus communs, parfois assortis de mots savants. Le corps adulte compte de 200 à 210 os selon la méthode de calcul choisie, le nombre de 206 étant le plus communément admis. Un nouveau-né a plus de 300 os, dont certains se souderont au cours de la croissance.

Os de la main

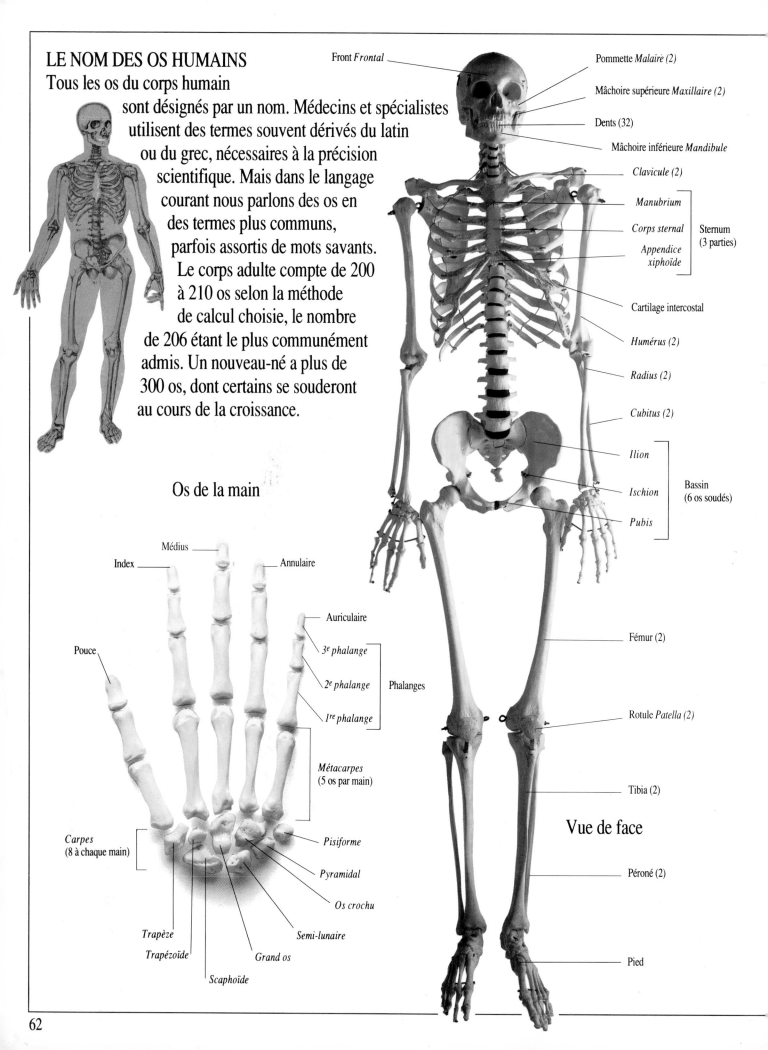

Front *Frontal*
Pommette *Malaire (2)*
Mâchoire supérieure *Maxillaire (2)*
Dents (32)
Mâchoire inférieure *Mandibule*
Clavicule (2)
Manubrium
Corps sternal
Appendice xiphoïde
Sternum (3 parties)
Cartilage intercostal
Humérus (2)
Radius (2)
Cubitus (2)
Ilion
Ischion
Pubis
Bassin (6 os soudés)
Fémur (2)
Rotule *Patella (2)*
Tibia (2)
Péroné (2)
Pied

Vue de face

Médius
Index
Annulaire
Auriculaire
3e phalange
2e phalange
Phalanges
1re phalange
Pouce
Métacarpes (5 os par main)
Pisiforme
Carpes (8 à chaque main)
Pyramidal
Os crochu
Trapèze
Semi-lunaire
Trapézoïde
Grand os
Scaphoïde

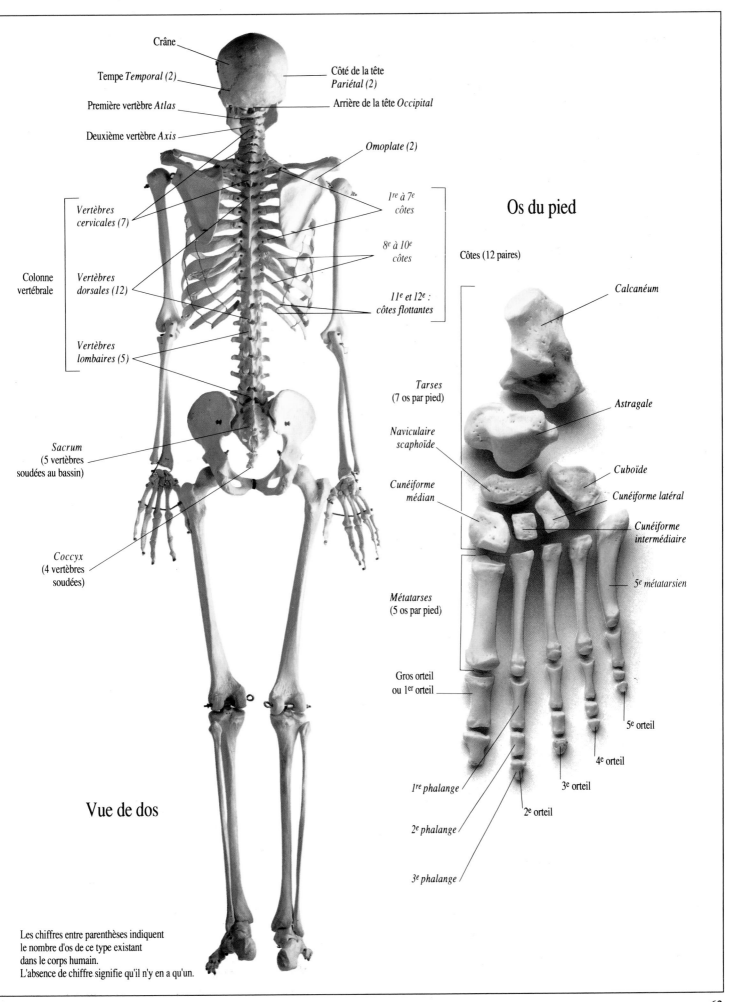

Crâne

Tempe *Temporal (2)*

Côté de la tête
Pariétal (2)

Première vertèbre *Atlas*

Arrière de la tête *Occipital*

Deuxième vertèbre *Axis*

Omoplate (2)

*Vertèbres
cervicales (7)*

*1ʳᵉ à 7ᵉ
côtes*

Os du pied

Colonne
vertébrale

*Vertèbres
dorsales (12)*

*8ᵉ à 10ᵉ
côtes*

Côtes (12 paires)

*11ᵉ et 12ᵉ :
côtes flottantes*

Calcanéum

*Vertèbres
lombaires (5)*

Tarses
(7 os par pied)

Astragale

*Naviculaire
scaphoïde*

Cuboïde

*Cunéiforme
médian*

Cunéiforme latéral

*Cunéiforme
intermédiaire*

Sacrum
(5 vertèbres
soudées au bassin)

5ᵉ métatarsien

Coccyx
(4 vertèbres
soudées)

Métatarses
(5 os par pied)

Gros orteil
ou 1ᵉʳ orteil

5ᵉ orteil

4ᵉ orteil

3ᵉ orteil

1ʳᵉ phalange

Vue de dos

2ᵉ orteil

2ᵉ phalange

3ᵉ phalange

Les chiffres entre parenthèses indiquent
le nombre d'os de ce type existant
dans le corps humain.
L'absence de chiffre signifie qu'il n'y en a qu'un.

INDEX

NOTE

Dorling Kindersely tient à remercier :

le musée Booth d'Histoire naturelle de Brighton; Peter Gardiner, Griffin et George; le Collège royal des chirurgiens d'Angleterre; le Collège royal vétérinaire, et Paul Vos pour la mise à disposition des squelettes; le docteur A.-V. Mitchell pour les radioscopies; Richard et Hilary Bird pour l'index; Fred Ford et Mike Pilley de Radius Graphics, Ray Owen et Nick Madren pour la réalisation artistique; Anne-Marie Bulat pour son travail initial d'élaboration du livre et Dave King pour la photographie particulièrement technique des pages 14 à 20, 32 et 33.

ICONOGRAPHIE

H = haut; B = bas; M = milieu;
G = gauche; D = droite

Des and jen Bartlett/Bruce Coleman Ltd : 51 HG
Des and Jen Bartlett/Survival Anglia : 57 B
Erwin and Peggy bauer/Bruce Coleman Ltd : 47 H
BPCC/Aldus Archive : 9 B, 10 H, MD, BD; 11 H; 29 B
Bridgeman Art Library : 8 M; 9 MG, 10 MG; 11 MG
Jane Burton/Bruce Coleman Ltd : 33 M
A. Campbell/NHPA : 34 H
Elsdint/Science Photo Library : 60 HG
Francisco Eriza/Bruce Coleman Ltd : 50 B
jeff Foot/Survival Anglia : 50 MD; 42 M; 48 M; 54 M
John Freeman, London : 6 BG; 7 H
Tom and Pam gardener/Frank Lane picture Agency : 33 H
P. Goycolea/Alan hutchinson Library : 11 BG
Sonia Halliday Photographs : 43 B
E. Hanumantha Rao/NHPA : 53 B
Julian Hector/Planet Earth Pictures : 50 H
T. Henshaw/Daily telegraph Colour Library : 54 BD
Michael holford : 9 H, 11 MD, 36 H
Eric Hosking : 33 BD; 51 BG, 52 HD, 56 M
F. Jack Jackson/Planet Earth Pictures : 33 BD
Gordon Langsbury/Bruce Coleman Ltd : 32 HD
Michael Leach/NHPA : 56 H
Larcz Lemoine/NHPA : 32 MD
Mansell Collection : 6 M; 7 M; 15 H; 36 M; 43 H; 56 MD; 58 H; 61 BD
Marineland/Frank Lane Picture Agency : 51 M
Mary Evans Picture Library : 6 MG, BD; 7 B; 8 H, B; 9 MD; 10 BG; 11 BD; 13 BD; 13 BD; 14 G, D; 16 MG; 26 H; 45 BD; 58 MG, MD; 62 HG
Frieder Michler/Science Photo Library : 60 MD
Geoff Moon/Frank Lane Picture Agency : 32 BD
Alfred Pasieka/Bruce Coleman Ltd : 22 H
Philip Perry/Frank Lane Picture Agency : 35 H
Dieter and Mary Plage/Bruce Coleman Ltd : 40 B
Hans Reinhard/Bruce Coleman Ltd : 32 BG; 46 BG
Leonard Lee Rue/Bruce Coleman Ltd : 32 BG; 46 BG
Keith Scholey/Planet Earth Pictures : 50 MG
Johnathan Scott/Planet Earth Pictures : 37 BG
Silvestris/Frank Lane Picture Agency : 35 B
Syndication International : 61 BG
Terry Whittaker/Frank Lane Picture Agency : 52 BG
ZEFA : 37 H, 39 HD; 60 B
Gunter Ziesler/Bruce Coleman Ltd : 37 BD

Illustrations de Will Giles : 12 B; 13 H, M; 27 L, D; 28 B; 29 H; 34 BG, M; 35 HG, BD; 37 M; 38 B; 39 G; 42 B; 44 BG, BM, BD; 45 BG, BM; 46 MG, MD, B; 47 MG, MD, BG, BD; 48 MG; 49 M; 51 HD; 52 M, B; 53 H, MG, MD; 54 BM; 55 M; 56 H; 59 HM

Recherche iconographique : Millie Trowbridge